KB195428

선생님께 질문있어요

물음표

한국사

질문 없는 꿀 물었어요

물음표

한국사

명재림, 김선우, 윤관집, 장재윤, 신지영

GNP EDU

한국역사문화교육연구회
THE EDUCATION STUDIES OF KOREAN HISTORY AND CULTURE

좌측부터 장재윤, 신지영, 명재림, 김선우, 윤관집

　무엇인가를 결정해야 하는 고민에 빠져있을 때 우리는 흔히 다른 사람들은 어떻게 생각하는지 물어보곤 합니다. 그렇다면 세상이 왜 이렇게 움직이는지 궁금할 때는 어떻게 할까요? 이 넓고 복잡한 세상에서 나아갈 방향이 어디인지 감을 잡기 어려울 때는 누구에게 물어보면 될까요? 그 해답을 역사에서 찾을 수 있습니다. 지나간 시대에 살았던 사람들은 어떤 상황에서 어떤 판단을 했는지, 어떤 과정을 거쳐 지금 우리가 사는 세상이 빚어졌는지, 나 그리고 같은 시대를 사는 사람들이 가진 믿음은 어떤 맥락에서 쌓였는지를 살펴보고 참고할 수 있기 때문입니다.

　그렇기에 수업 시간에 "선생님, 질문 있어요!"를 외치는 학생의 목소리는 참으로 반갑습니다. 시험범위에 쫓겨 진도 나가기에 급급했던 무심한 선생님을 일깨우는 학생의 질문들. 때로는 어처구니없는, 때로는 재미있는, 때로는 날카로운 질문들을 선생님이 미처 예상치 못한 부분에서 던져주는 학생들 덕에 수업은 살아 숨 쉴 수 있습니다. 미리 준비했던 수업 내용이 아니라 학생의 질문에 답하느라 수업시간을 다 보내본 경험은 선생님과 학생 모두 한번쯤 가지고 있을 것입니다. 질문의 답을 찾아보며 함께 생각을 공유하고 문제의식을 가다듬다보면 그날의 진도와는 상관없이 선생님도 학생도 더 배우고 더 성장한 것 같은 기분이 들곤 합니다.

　이 책은 다섯 명의 선생님들이 시간에 쫓겨 다 하지 못했던 이야기, 한번쯤 생각해보았으면 하는 이야기, 꼭 하고 싶었던 이야기, 학생들이 자주 물어보는 이야기를 책으로 엮어 보자는 취지에서 만들어졌습니다.

　이 책에는 남한에서 볼 수 있는 고구려 유적인 아차산 보루, 우리나라뿐만 아니라 세계적으로도 자랑할 만한 유적인 석굴암, 겉으론 별거 없어 보이지만 놀라운 과학적 원리가 담겨져 있는 포석정 등 무심코 지나쳤던 우리 문화유산에 관한 이야기와 백제 무왕과 신라 선화공주의 사랑, 현재 우리나라 사람들이 사용하고 있는 성씨의 허구성, 사도세자가 가진 정신질환, 군함도를 둘러싼 진실공방 등 사회적으로 이슈가 되었던 이야기를 비롯하여 교과서와 시험에 얽매이지 않은 다양한 이야기를 담았습니다. 입시라는 테두리 안에 갇혀 지루하고 고리타분한 과목이라는 오명을 쓴 역사의 억울함을 이 책을 통해 조금이나마 해소할 수 있었으면 합니다.

　부족함이 많지만 역사에 대한 애정을 가지고 좋은 책을 만들기 위해 노력한 다섯 명의 저자 외에도 책이 나오기까지 많은 분들의 도움이 있었습니다. 팀을 꾸리고 이 책이 잘 나오게 적극 나서주셨으며 사진을 제공해 주시는 등 물심양면으로 애써주신 국사편찬위원회 장득진 연구관님이 계셔서 힘을 얻고 작업했습니다. 그리고 이 책이 나올 수 있게 도와주신 많은 분들께 감사의 인사를 드립니다.

Special Thanks to

(주)지엔피에듀 황순신 대표님
(주)지엔피에듀 디자인실 이준호 과장님
(주)지엔피에듀 편집실 김덕호 과장님

2018. 3.
저자 일동

차례

I 선사 ~ 남북국

II 고려

Ⅲ 조선

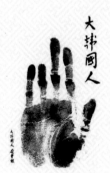

Ⅳ 일제강점기 ~ 대한민국

선사 ~
남북국

I

⚘ 참성단(인천, 강화)

○ 천제단(강원, 태백)

01 우리나라 문화유산 중 세계에 내놓을 대표 얼굴은 무엇인가요?

〈김선우〉

✿ 강화 부근리 고인돌

우리나라 고인돌의 특징

   우리나라는 전 국토가 박물관이라고 불릴 정도로 문화유산이 많고 세계에 내놓을 만한 훌륭한 문화유산도 많습니다. 우리나라의 수많은 문화유산 중에서 다른 나라와 차별화된 유적은 없을까요? 불교나 유교와 관련된 유적은 중국이나 일본에도 많이 있고, 궁궐·성곽·왕릉 등도 다른 나라에 많이 있습니다. 그렇다면 우리나라가 가장 많이 보유하고 있으며 종류도 다양하고 세계적 표본이 되는 그런 유적은 없을까요? 있습니다. 바로 고인돌입니다. **고인돌***은 전 세계에 분포하고 있는데 우리나라 고인돌은 전 세계 고인돌의 40%(북한까지 포함하면 50%)나 됩니다. 고인돌 왕국입니다.

   강화도 부근리 고인돌에 갔더니 표지판에 전 세계 고인돌의 70%가 우리나라에 있다고 적혀 있더군요. 화순 고인돌 팜플렛에는 60%라고 적혀 있고요. 정확히 몇 %라고 단정지어 말할 순 없어도 우리나라 고인돌이 세계에서 제일 많은 것은 확실합니다. 무려 4만여 기나 됩니다. 특히, 전라남도 지방에만 2만여 기가 있으며 제주도를 포함한 전국 어디에서나 흔하게 고인돌을 볼 수 있습니다. 일본에 600여 기, 중국 랴오닝성에 750여 기, 저장성에 50여 기가 있으니 우리나라의 고인돌 양이 얼마나 많은지 알 수 있을 것입니다. 단순히 양만 많은 것이 아닙니다. **탁자식***, **바둑판식***, **개석식*** 등 종류도 다양하며 고인돌 축조 과정을 알 수 있는 채석

⊙ 탁자식 고인돌(전북, 고창)

⊙ 바둑판식 고인돌(전북, 고창)

⊙ 개석식 고인돌(전남, 화순)

---

* **고인돌** | '고인돌'이라는 이름은 커다란 바윗돌 밑을 판돌이나 자연석이 고이고 있기 때문에 붙여졌습니다. 한자로는 지석묘(支石墓)라고 합니다.

* **탁자식** | 큰 돌 아래에 판돌이 네모지게 고이고 있는 탁자 모양의 고인돌을 의미합니다. 강화 부근리 고인돌이 대표적입니다.

* **바둑판식** | 자연석이나 인공석이 일정한 간격으로 받치고 있는 고인돌입니다. 바둑판 모양처럼 생겼다고 하여 붙여졌으며 기반식(基盤式) 고인돌이라고도 합니다.

* **개석식** | 큰 돌 하나가 땅 위에 그냥 놓여 있는 형태입니다. 한자로는 덮을 개(蓋), 돌 석(石)을 씁니다.

장도 발견되었습니다. 이런 우수한 점이 인정되어 2000년에는 한국의 강화, 고창, 화순의 고인돌이 유네스코 세계문화유산으로 등재되었습니다.

강화 고인돌 – 탁자식 고인돌의 대표 유적지

먼저 소개해 드릴 강화 고인돌은 고려산 북쪽 산기슭에 160여 기가 분포하는데 군집을 이루지 않고 곳곳에 산재하여 분포합니다. 그 중 세계유산으로 등재된 것은 70기입니다. 특히 부근리 탁자식 고인돌은 남한 지방에서 발견된 탁자식 고인돌 가운데 가장 큰 고인돌입니다. 덮개돌은 길이가 6.5m, 너비가 5.2m, 두께가 1.2m로 무게가 무려 53톤에 달합니다.

○ 강화 오상리 고인돌

고인돌하면 강화 부근리 고인돌이 떠오를 정도로 고인돌의 대표 얼굴이라 할 수 있으며, 고창, 화순과 더불어 강화도가 유네스코 세계문화유산이 된 것은 이 고인돌 덕분입니다. 이 거대한 고인돌을 축조하는데 동원된 인원은 약 800여 명으로 추산됩니다. 그래서 이 고인돌은 단순한 무덤이라기보다는 집단을 상징하는 기념물이나 제단으로서 기능한 것으로 보입니다.

고창 고인돌 – 고인돌 전시장

고창의 고인돌은 한국 최대의 고인돌 군집 지역입니다. 죽림리, 상갑리 1.8km의 좁은 범위 안에 442개가 밀집되어 있습니다. 뿐만 아니라 탁자식과 바둑판식, 개석식 등 **다양***한 형태의 고인돌이 분포되어 있어 고인돌 전시장을 보는 듯합니다. 처음 고창 고인돌을 보러 갔을

> ***다양** | 예전에는 분포 지역 위치에 따라 북방식 고인돌, 남방식 고인돌이라는 표현을 썼지만 북한 지역에도 개석식 고인돌이 널리 분포한다는 사실이 밝혀지고, 전라도 지역에도 탁자식 고인돌(도산리 고인돌)이 있다는 사실이 알려지면서 지금은 모양에 따라 탁자식, 바둑판식, 개석식으로 부릅니다.

○ 고창 죽림리 고인돌 군

○ 고창 고인돌 박물관

때가 20년 전이었는데 차에서 내리자마자 펼쳐진 고인돌 모습은 평생 뇌리에 남듯 강렬하였습니다. 드넓은 평원에 수많은 고인돌이 있는 모습은 마치 영화의 한 장면 같이 환상적이었습니다. 고창 고인돌유적지에는 고인돌 박물관이 있어 고인돌에 대해서 공부하고 싶다면 가장 적합한 곳입니다.

○ 화순 관청바위 고인돌 군

화순 고인돌 – 고인돌 투어가 가능한 곳

　화순 고인돌은 효산리와 대신리를 잇는 보검재의 계곡일대 4km에 걸쳐 **596기가 연이어 분포***하고 있습니다. 에버랜드에서 사파리 관람을 하듯 일정 장소에 가서 고인돌을 보고 다시

○ 화순 핑매바위 고인돌

> ***596기가 연이어 분포** | 괴바위 고인돌지구(47기), 관청바위 고인돌지구(190기), 달바위 고인돌지구(40기), 핑매바위 고인돌지구(133기), 감태바위 고인돌지구(140기), 대신리 발굴지(46기) 등 총 596기가 있습니다.

운반 중이던 덮개돌

분리 중이던 덮개돌

◎ 감태바위 고인돌 채석장

차를 타고 이동하는 방법으로 계속 고인돌을 볼 수 있는 곳입니다. 끝도 없이 계속 나오는 고인돌에 놀라기를 반복하다 못해 질릴 정도였습니다. 모양도 크기도 다양한 수많은 고인돌을 보면서 우리나라가 정말 고인돌 왕국이 맞구나 하는 생각이 들었습니다. 또한, 100톤 이상의 커다란 고인돌 수십 기가 발견되었으며 그 중 **핑매바위 고인돌***은 290여 톤에 달하는 전 세계에서 가장 큰 고인돌이라고 합니다.

화순 고인돌은 고인돌의 덮개돌을 채석하였던 채석장과 채석하다만 석재 등이 남아 있어 고인돌 축조과정을 알 수도 있습니다. 뿐만 아니라 고인돌을 들어 올리면 아래 구조가 어떻게 되어 있는지 알 수 있는 발굴지의 모습도 볼 수 있습니다. 화순 고인돌은 1995년에 발견되었는데 가장 늦게 발견되었음에도 단숨에 세계문화유산에 들어갔으며 최근에 가장 주목 받고 있는 곳이기도 합니다.

◎ 대신리 발굴지

***핑매바위 고인돌** | 핑매바위 고인돌은 덮개돌의 크기가 길이 7.3m, 너비 5m, 두께 4m입니다. 규모가 거대하며 높은 입지에 분포한 것으로 볼 때 무덤의 기능보다는 상징적인 기념물로 추정하는 의견도 많습니다.

무덤인데 시신을 어디에

고인돌에는 많은 이야깃거리가 있습니다.
궁금한 것을 하나하나 짚어 보죠.

고인돌은 보통 무덤이라고 얘기하는데 시
신은 어디에 넣는 것일까요? 그것은 고인돌
형태에 따라 다릅니다. 탁자식 고인돌은 보
통 굄돌이 2개라고 생각하는데 사실은 사방
이 막힌 형태입니다. 실제 3면이 남아 있거
나 4면이 남아 있는 고인돌도 있습니다. 덮

⊙ 굄돌이 막혀있는 고인돌(강화, 오상리)

개돌을 2개만 받치게 되어 있어 나머지 2개가 없어진거지 원래부터 2개는 아니었다는 뜻입니다.
그 돌방 안에 시신을 넣었겠죠. 그외에 바둑판식이나 개석식은 땅 아래에 시신을 넣었습니다.

고인돌의 부장품

⊙ 돌화살촉(국립중앙박물관)

⊙ 간돌검(국립중앙박물관)

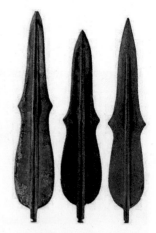

⊙ 비파형동검

고인돌의 부장품으로는 무엇이 있을까요? 간돌검이나 돌화살촉 등 무기들이 주로 있습니다.
이는 죽은 사람의 영혼을 지켜주는 것으로 생각해 볼 수 있습니다. 청동기는 비파형동검이 대
부분인데 당시에 희귀하고 특수계층만 사용된 것으로 무덤에 묻힌 사람이 높은 신분임을 증명
해주는 도구입니다.

고인돌의 다양한 쓰임새

○ 성혈이 있는 고인돌(경기, 시흥 도남리)

그러면 이러한 고인돌을 왜 만들었을까요? 우리가 알고 있듯이 무덤으로만 사용했을까요? 그런데 몇 십 톤에서 몇 백 톤에 이르는 고인돌을 볼 때 무덤이라고만 보기에는 석연치 않은 구석이 있습니다. 뿐만 아니라 단순히 무덤이라고 여기면 몇 천 년 동안 고인돌이 거의 훼손당하지 않고 온전히 보전된 것을 설명할 길이 없습니다.

고인돌이 온전하게 남아 있는 것은 바위에 대한 신앙이 있었기 때문입니다. 민간신앙에서 고인돌은 거북이 모양과 비슷하여 거북신앙의 대상이 되어 장수를 비는 대상이 되었습니다. 또한, 복을 기원하는 대상, 자신을 지켜 주는 경외의 대상이 되었습니다. 또 인간의 탄생과 죽음을 관장하는 **칠성신앙***의 대상으로 여겨지기도 하였습니다. 이것은 고인돌에 **성혈***을 새기는 경우도 있었음을 통해 증명할 수 있습니다. 특히 대동강 유역의 고인돌은 북두칠성을 중심으로 북쪽 하늘의 별을 새긴 것이 대부분입니다. 남한에서도 전남 화순 절산리 고인돌과 충북 청주 가호리 아득이 마을 고인돌, 경기도 시흥 도남리 고인돌 등에서 성혈이 나타납니다.

고인돌을 산신신앙의 대상으로 여긴 경우도 있습니다. 산신은 대개 옆에 산짐승을 대표하는 호랑이가 호위하고 있는데 고인돌을 범바위(호랑이 바위)라 숭배하기도 했습니다.

*칠성신앙 | 칠성신은 어머니 뱃속에 있는 아이의 이목구비를 갖추어준다고 합니다. 이는 북두칠성의 별 일곱 개와 얼굴에서 몸속으로 통하는 구멍 일곱 개를 연관시켜 해석한 것으로 보입니다.

*성혈 | 바위 구멍으로 3~4개에서 수십, 수백 개에 이르는 경우도 있다. 별자리를 의미하는 경우도 있으나 구멍 위에 쌀이나 계란을 올려놓고 자식 낳기를 비는 이야기가 전해지기도 합니다.

고인돌을 제단으로 사용한 예도 많이 있습니다. 특히 탁자식 고인돌은 단순한 무덤으로 보기에는 너무나 많은 노동력이 필요하였습니다. 고인돌의 축조는 대체로 그 당시 최대의 토목공사로 한 혈연집단뿐 아니라 이웃 혈연집단까지 동원해야 가능한 공동체 집단의 의례 행위였습니다.

이런 신앙과 전통이 있어 고인돌을 훼손하는 것은 감히 생각할 수도 없었습니다. 새벽마다 고인돌 앞에 정화수를 떠 놓고 가족의 안녕과 자신의 성공을 빌던 사람들도 많이 있었습니다.

고인돌의 축조 과정

● 고인돌 운반 장면(양구 선사박물관)

이러한 거대한 고인돌은 어떻게 만들었을까요? 먼저 큰 돌을 바위에서 떼어 내야 했습니다. 그 과정은 암벽의 절리를 이용하거나 구멍을 판 후 나무 쐐기를 박은 후 물을 불려 떼거나 지렛대를 사용해 분리합니다. 여기서 한 가지 궁금한 것은 나무를 물에 불리는 것으로 바위를 깰 수 있을까 하는 점입니다. 물이 얼음이 됐을 때 늘어나는 부피는 4%로 정도 된다고 합니다. 그런데 마른 나무에 물을 부으면 10% 이상의 팽창률을 보이기 때문에 구멍에 나무를 넣고 물을 넣는 방법으로 큰 바위를 갈라지게 할 수 있었습니다.

거대한 바위를 운반하는 것은 어떻게 했을까요? 고인돌의 운반에는 밧줄, 통나무, 인력이 필요했습니다. 밧줄은 담쟁이나 칡넝쿨 같은 식물 줄기를 엮어서 사용했을 것으로 추정합니다. 통나무를 바닥에 깔아 굴림대로 쓰면서, 그 위에 덮개돌을 올려놓고 뒤에서 지렛대로 밀거나 앞에서 끌어가는 방법과 Y자 형태의 나무끌개(보통 5~7m)를 이용하여 덮개돌을 옮기는 방법을 사용했을 것으로 추론하고 있습니다.

고인돌은 축조가 완성되면 끝이 아니었습니다. 마지막으로 죽은 사람을 위한 제사나 동원된 사람을 위한 향연 같은 제의 행위가 이루어졌습니다. 이것을 알 수 있는 것은 묘역 주위에서 깨진 토기나 석기편이 발견되었기 때문입니다.

고인돌에 사용된 과학기술

고인돌에는 놀라운 과학 기술이 담겨져 있기도 합니다. 예를 들면 무너짐을 방지하기 위해 토층 기반을 다지고, 덮개돌의 무게에 의해 기울어지지 않도록 바닥이 넓고 위가 약간 좁게 벽석을 안기울임하거나, 덮개돌 밑면의 형태에 따라 벽석 상단을 다듬어 만들거나 끼움석으로 보강하는 한편, 벽석을 세울 때도 보강석으로 튼튼하게 한 흔적들이 남아 있습니다. 바둑판식 고인돌에서 덮개돌 윗면이 수평을 이루도록 받침돌의 높이를 조정하기도 하였습니다. 팽창, 마찰력, 기울기를 이용하기 등의 원리도 알고 있었죠. 우리의 예상보다 훨씬 훌륭하죠?

고인돌이 사라진 이유

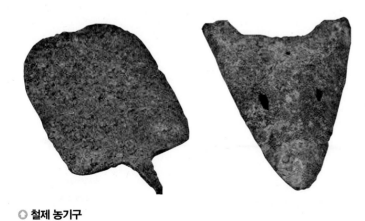

○ 철제 농기구

고인돌은 선사시대 중에서도 청동기시대에 축조된 것으로 보입니다. 대략적인 연도를 보면 기원전 1,200년 이전부터 기원전 200년 무렵까지 약 1천 년 동안 만들어졌습니다. 가장 성행한 시기는 기원전 900년에서 400년 사이입니다. 그런데 기원전 200년 쯤 고인돌이 더 이상 만들어지지 않습니다.

1,000여 년 동안 계속 만들어졌던 고인돌이 더 이상 만들어지지 않은 이유는 무엇일까요? 그것은 기원전 200년 쯤 엄청난 사회적 변화가 있었기 때문입니다. 고인돌 후기 사회는 수장(首將)층이 등장하고 외부로부터 선진 문화인 철기가 수용된 시기입니다. 우리나라 초기의 철기는 무기보다는 농경구 등 생활 용구들이 많이 제작되었습니다. 이 철제 농기구의 사용으로 석기로 농사지을 때보다 3~4배의 능률을 올릴 수 있었고 이것은 농경지가 확장되면서 많은 노동력을 요구하게 됩니다. 이런 사회에서 많은 노동력이 동원되는 고인돌의 축조는 노동력 낭비이고 소모적인 일이 되었습니다.

고인돌을 통해 알 수 있는 사회 모습

　마지막으로 고인돌을 통하여 알 수 있는 사회 모습으로는 어떤 것이 있을까요? 대규모 노동력을 동원할 수 있고, 일정한 범위 안에 혈연 중심의 마을이 각각 형성되어 있었으며, 정책생활과 안정적인 식량을 확보할 수 있는 능력 중심 사회임을 알 수 있습니다.

　단순한 돌 정도로 보이는 고인돌에 정말 많은 이야기가 숨어 있지요? 우리나라 전역에는 고인돌이 굉장히 많습니다. 꼭 강화, 고창, 화순이 아니어도 박물관 뜰에, 지방 어느 길목에, 논밭 가운데, 길옆에 고인돌이 정말 많습니다. 그냥 지나치지 마시고 애정 어린 눈길로 고인돌을 한 번 보는 것은 어떨까요?

더 찾아보기

• 세계유산 시리즈 - 8편, 고인돌

02 남한에서도 고구려 유적을 볼 수 있어요?

〈김선우〉

🔸 광개토대왕릉비

○ 오녀산성(중국, 지안)

○ 국내성(중국, 지안)

남한에 있는 고구려의 대표적인 유물

고구려 영토의 대부분은 지금의 중국과 북한에 있습니다. 고구려의 수도는 3곳이었는데 첫 번째 수도 졸본(오녀산성)과 국내성은 중국에 있고 마지막 수도는 평양에 있습니다. 그러면 남한에서는 고구려 유물이나 유적을 볼 수 없을까요? 얼른 떠오르는 곳은 중원고구려비로 더 잘 알려진 충주고구려비가 있습니다. 마모가 심해 정확히 알 수는 없으나 '고려대왕(高麗大王)', '신라토내당주(新羅土內幢主)'* 등의 표현에서 고구려군이 신라의 영토에 주둔하며 영향력을 행사했다는 사실이 확인됩니다. '고모루성(古牟婁城)', '대사자(大使者)' 등 당시의 지명과 관직명도 기록되어 있어 고구려 연구에 중요한 자료로 평가받고 있습니다. 뿐만 아니라 신라에 대해 '동이(東夷)'*라는 표현을 쓰고 있어 이를 통해 고구려의 천하관을 볼 수 있습니다.

또, 고구려 유물하면 떠오르는 것이 있나요? 신라 호우총에서 발견된 호우총 청동그릇이 교과서에 실려 있으니 생각이 날 겁니다. '을묘년국강상광개토지호태왕호우십(乙卯年

○ 충주 고구려비
현재는 전시관으로 옮겼습니다.

＊**신라토내당주** | 신라 땅 안에 있는 당주란 뜻으로 당주는 군대의 편성 단위인 당을 통솔하던 무관 벼슬을 의미합니다.

＊**동이** | 동이(東夷)는 동쪽에 있는 오랑캐라는 뜻으로 고구려가 신라를 속국처럼 여겼음을 알 수 있습니다.

◐ 호우명 그릇(국립중앙박물관)

◐ 연가 7년명 금동 여래 입상(국립중앙박물관)

◐ 연꽃무늬 수막새(국립중앙박물관)

◐ 짐승얼굴무늬 수막새(국립중앙박물관)   ◐ 쌍영총 벽화조각(국립중앙박물관)

國罡(岡)上廣開土地好太王壺杅十)'이란 글자가 새겨져 있어서 광개토대왕과 관련이 있으며 광개토대왕비문의 글자와 글자체가 유사하여 더욱 고구려 유물임을 알 수가 있죠.

  국립중앙박물관 고구려 전시관에 가 보면 '연꽃무늬 수막새', '짐승얼굴무늬 수막새', 쌍영총 널길 서쪽 회벽 위에 그려졌던 벽화의 일부분인 '말 탄 사람이 그려진 벽화편', 그리고 교과서에 나오는 '연가 7년이 새겨진 금동불입상' 등이 있습니다. 이정도 유물이 떠오른다면 고구려 유물에 대하여 그나마 많이 아는 학생일 것입니다.

아차산의 중요성

  그런데 이런 유물 말고 고구려 유적은 없을까요? 있습니다. 그것도 아주 굉장한 유적이 있습니다. 바로 아차산 보루입니다. 먼저 아차산에 대한 설명이 필요할 것 같은데요. 아차산은 해

발 285.8m 밖에 되지 않는 작은 산이지만 인근에서 가장 높은 지대로 남쪽으로 한강이남 지역을 볼 수 있습니다. 바로 옛 백제의 도읍지로 추정되는 풍납토성과 몽촌토성을 한눈에 내려다 볼 수 있지요.

◐ 아차산성(서울, 광진)

이곳에는 아차산성이 있는데 아차산성은 삼국사기에 백제 책계왕 원년(286년) 고구려를 대비하기 위해 수리했다는 기록이 있는 것으로 보아 맨 처음에는 백제가 쌓은 것으로 보입니

◐ 아차산 홍련봉(서울, 광진구청 제공)

다. 그러나 이곳은 삼국 모두의 격전지였고 백제 **개로왕***이 이곳에서 고구려 군에게 처형당했던 곳이기도 합니다. 또한 고구려의 온달 장군이 신라군과 싸우다 전사했던 곳으로도 유명합니다.

◐ 아차산 입구 온달과 평강공주 동상

1997년과 1998년의 부분적인 조사결과 신라가 쌓은 「북한산성」임이 확인되었지만 전체적인 발굴조사가 이루어질 경우 보다 정확한 내용을 알 수 있을 것으로 보입니다.

***개로왕** | 백제의 제21대 왕으로 고구려 장수왕의 침입으로 한성이 함락되었을 때 죽임을 당합니다. 개로왕을 사로잡은 걸루 등 고구려 장수들은 말에서 내려 왕에게 절을 하여 예를 갖춘 뒤에 그의 얼굴을 향해 세 번 침을 뱉으며 죄를 열거하고, 묶은 채로 아차성 아래로 보내서 죽였다고 합니다(재위 455~475).

보루란 무엇인가?

제가 소개하려고 하는 것은 이 아차산성이 아니라 아차산에 있는 고구려 보루입니다. 보루란 명칭이 좀 생소하지요? 보루란 적을 막거나 적의 움직임을 살피기 위해 군사적 목적으로 세운 소규모 요새로 주로 산꼭대기에 만들어진 군사시설을 의미합니다. 아차산, 용마산을 중심으로 한 한강유역에 20개 정도가 확인되었고 그 중 17개가 사적 제455호로 지정되었습니다.

보루는 얼핏 보면 산성과 비슷한 듯 보이지만 다른 점은 산성은 점령지로서 일반인이 거주했지만 보루는 교통로 확보를 위한 전망과 감시가 주요 기능이었고, 여러 개가 무리를 이룬다는 점입니다. 이 보루에서 5~6세기 고구려군이 사용했던 각종 유물이 출토되어 고구려 생활사 연구 및 군사 연구에 매우 중요한 자료가 되고 있습니다.

구의동 보루 – 처음 발견

처음 발견된 보루는 구의동 보루로 1977년에 화양지구택지개발사업의 일환으로 조사 당시 발굴이 되었습니다. 그때는 무령왕릉이 발굴(1971년)된지 얼마 되지 않은 때로 한강유역에서 발견된 유적은 당연히 백제 유적이라고 생각하였습니다. 그러나 백제 유적으로 보기에 석연치 않은 점이 있어 잠정적으로 왕 또는 왕비의 관을 발인할 때까지 두던 곳인 **빈전(殯殿)***장으로 생각하였습니다. 이 구의동 유적이 고구려 유적으로 확인된 것은 몽촌토성 발굴 결과 때문입니

> ***빈전** | 상여가 나갈 때까지 왕이나 왕비의 관을 모시던 곳을 의미합니다.

다. 몽촌토성에서는 온돌 건물지를 비롯한 고구려 건물지와 제례용이나 부장용으로 쓰이는 고구려의 전형적인 토기인 나 팔입항아리 등이 발견되었는데 한성을 공격하여 함락한 후 고구려 군이 몽촌토성에 일정 기간 동안 주둔하였음을 알 수 있게 되었습니다. 그러면서 구의동 유적도 고구려 유적임이 확인되었습니다.

나팔입항아리(서울대학교 박물관)

　구의동 유적은 현재 개발로 남아 있지 않습니다. 그러나 구의동 유적이 갖고 있는 의미는 매우 큰데요. 마치 급습으로 인해 일시 정지한 것처럼 당시 사용하던 물건 그대로 남아 있습니다. 이를 통해 당시 고구려의 모습을 많이 추론할 수 있게 되었습니다. 발굴 결과를 통해 이곳을 상상해 보면 10명 정도의 군사가 주둔했던 것으로 추정됩니다. 그렇게 추정할 수 있는 것은 그 안에 발견된 무기 때문인데 칼 2자루, 도끼 4점, 창 6점, 화살촉 1,300점 등이 나왔습니다. 칼은 의례용으로 보이고 각각 하나의 무기를 지녔다고 하면 10명 정도의 군사가 머물렀던 곳으로 보입니다.

아차산 4보루 – 첫번째 학술 발굴

아차산 4보루 출토 유물(문화재청)

　남한지역에 고구려 유적지가 있음을 인식하고 발굴한 첫 번째 학술 발굴은 아차산 4보루입니다. 이 보루는 남한 내에서 고구려 역사 연구 활성화에 계기가 되는 매우 중요한 유적으로 아차산에 올라가면 꼭 들려야 하는 매우 중요한 고구려 유적지입니다.

　먼저 발굴한 구의동 유적을 바탕으로 아차산 4보루에 머물렀던 군사를 추정하면 100여 명 정도가 머물고 있었을 것으로 보입니다. 4보루 안에는 지휘부가 별도의 막사에 마련되어 있었으며 막사 안에는 취사와 난방을 위한 13기의 온돌이 확인됩니다. 저수시설도 2개가 확인되는데 정사각형에 가까운 모양으로 깊이는

◐ 아차산 4보루 모형도

2m에 이르고 바닥에는 1m 정도, 벽체 안쪽에는 두께 50~70cm 정도의 고운 입자로 된 회색 뻘 흙을 발라 방수처리까지 하였습니다. 심지어 무기를 다듬는 대장장이도 있을 정도입니다.

그 밖의 고구려 보루들

이밖에도 한 번 가볼 만한 보루들을 소개해 보죠. 시루봉 보루에는 굽이 달린 그릇, 토기류에 병사들이 직접 새겨 넣은 '+', '⌃', '#' 등의 부호가 발견된 곳으로 유명합니다. 홍련봉 1보루에서는 4점의 연화문 와당이 출토되었는데 **와당***은 왕궁이나, 관아, 사찰 등 격이 있는 주요 기관에서 사용되었으므로 이 보루는 아차산 일원의 보루 중 가장 위계가 높은 중

◐ 연꽃무늬 수막새(국립중앙박물관)

> ***와당** ｜ 보통 암막새기와, 수막새기와를 와당이라고 부릅니다.

◎ 홍련봉 보루 노출 성벽(문화재청)

심 보루로서의 기능을 하였을 것으로 생각됩니다. 홍련봉 2보루에는 거의 모든 고구려 토기 기종이 출토되어 놀라움을 자랑합니다. 그러면 중요한 건물일 수도 있는데 기와는 출토되지 않아 어떤 기능을 수행했는지 궁금증을 자아내게 합니다. 아차산 3보루는 가장 규모가 큰 보루로 다른 보루에서는 확인되지 않은 방앗간이 존재하는 것으로 보아 군사 숙소로 기능한 것이 아니라 군수물자의 보관 및 수리, 군량처리 등의 기능을 담당했던 것으로 판단됩니다.

고구려 유물들

아차산 일원의 고구려 보루와 몽촌토성에서 발견된 토기들을 합해 보면 24개의 기종에 그 숫자가 무려 1,611개에 달합니다. 저장용, 조리용, 배식용, 운반용 등 실용 목적으로 쓰인 것이 대부분이지만 의례용으로 사용된 것도 나왔습니다. 남한에 이렇게나 많은 고구려 유물이 있

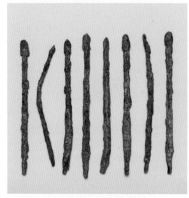

◎ 고구려 화살촉(국립중앙박물관)

◎ 낫 날(국립중앙박물관)

◎ 비늘 갑옷(국립중앙박물관)

다는 사실이 신기하지 않은가요?

물론 황금으로 만든 화려한 유물이나 거대한 궁성 같은 것은 없습니다. 그러나 475년 장수왕이 3만의 병사를 이끌고 이곳을 점령한 후 553년 신라·백제의 연합군에 의하여 이곳을 빼앗길 때까지 80년 가까이 고구려군이 머물던 곳입니다. 20개 보루면 최소 1,500명 이상의 고구려인들이 머물러 있던 곳이지요. 당시 고구려인들이 사용했던 다양한 토기가 있으며 그들이 쌓았던 고구려식 산성이 있습니다. 그들이 머물렀던 온돌도 있구요. 심지어 그들이 농사지었던 농사기구도 있고 무기들도 남아 있습니다.

아차산 보루에 올라 고구려인들이 머물러 있던 모습을 한번 떠올려 보는 것은 어떨까요? 아니, 고구려인뿐만 아니라 백제인, 신라인 모두의 숨결을 한꺼번에 느껴 볼 수 있는 유적지는 우리나라에서 이곳이 유일하지 않을까 싶습니다.

사족 – 남성골 산성

○ 남성골 산성 목책(국립청주박물관)

남한에 있는 또 다른 고구려 유적으로는 세종특별시 부강리에 있는 남성골 산성이 있습니다.

돌로 쌓은 산성이 아니라 목책으로 만든 성인데 고구려의 성곽유적에서 가장 남쪽에 위치하고 있는 성책유적으로 장수왕 때 고구려가 금강유역까지 진출했다는 직접적인 고고학적 증거입니다. 고구려 유물(자배기, 시루, 항아리, 물병, 화살촉, 무기용 도끼, 보습)도 많이 나왔는데 국립청주박물관에 가면 만나 보실 수 있습니다.

◉ 고구려 토기 유물(국립청주박물관)

더 찾아보기

• 고구려 아차산에서 만나다

03 왕비가
재혼한 경우도 있었나요?

〈장재윤〉

◇ 수산리 고분 벽화

뜻밖의 손님

서기 197년. 고구려 고국천왕이 승하했습니다. 그날 밤 왕의 첫째 동생 발기(發崎)에게 뜻밖의 손님이 찾아왔습니다. 왕후 우씨였습니다.

"왕에게 뒤를 이을 아들이 없습니다. 그러니 아우께서 뒤를 이어야 합니다."

발기는 자기 귀를 의심합니다. 형수님이 일부러 궁에서 나와 밤이슬 맞으며 나를 몰래 찾아온 건 무슨 의미일까? 게다가 대체 무슨 말을 하는 것인가? 발기는 아직 왕이 죽은 걸 몰랐습니다. 큰일 나겠다 싶어 그는 단호하게 형수를 물리쳤습니다.

"이건 예(禮)가 아닙니다. 돌아가세요."

우씨는 부끄러워하며 돌아섰습니다. 그리고 그대로 왕의 둘째 동생 연우(延優)의 집을 찾았습니다. 그런데 형과 달리 연우는 형수를 따뜻하게 맞이하고 연회를 열어주었습니다.

"사실 오늘 왕이 돌아가셨습니다. 왕을 이을 아들이 없으니 첫째 동생인 발기가 뒤를 이어야 하지 않겠어요? 그래서 내 직접 그를 찾아갔으나, 그는 황당하게도 오히려 저를 이상한 여자 취급하며 매몰차게 쫓아냈어요. 그래서 그대를 찾아왔습니다."

연우는 이 말을 듣고는 고기를 직접 썰어주며 형수에게 더욱 정성을 다했습니다. 그러다 칼로 손을 베자 우씨는 자기 허리띠를 풀어 연우의 손을 감싸 주기도 합니다. 밤새 이어진 연회가 끝나고 우씨가 다시 궁으로 돌아갈 때 연우도 함께 길을 나섰습니다. 둘은 손잡고 같이 궁에 들어갔습니다.

이튿날 아침에 우씨는 왕의 유언에 따라 연우가 새 국왕이 되었음을 선포했습니다. 첫째를 제치고 둘째 동생이 왕이 된 것입니다. 원래 왕의 유언은 무엇이었을까요? 하지만 그건 더 이상 중요하지 않았습니다. 사람들은 다들 군말 없이 따랐습니다. 한 사람, 발기만 빼고.

"어찌 감히 둘이서 짜고 이럴 수가 있는가! 우씨와 연우가 모략을 꾸며 내게 돌아왔어야 할 왕위를 빼앗았다."

발기는 화가 머리끝까지 났습니다. 원래 왕은 자기가 되어야 했으니까요. 하지만 이미 물은 엎질러졌습니다. 뒤늦게 반발했지만 안타깝게도 그를 따르는 사람은 없었습니다. 현실을 받아들일 수 없었던 그는 옆 나라 중국 요동 태수의 군대를 빌려 쳐들어왔습니다. 그 앞을 막내 동생 계수(罽須)가 이끄는 고구려 군이 막아섰습니다. 결과는 발기의 완패. 달아나는 형을 따라잡은 계수가 소리쳤습니다.

"연우가 형에게 왕위를 양보하지 않은 건 매정한 일입니다. 그래도 어떻게 다른 나라 군대까지 끌어들여 반역을 꾀할 수 있습니까? 부끄러운 줄 알아야지!"

발기는 부끄러워하며 자살합니다. 그렇게 나라에 다시 평화가 찾아왔습니다. 연우, 그러니까 산상왕(197~227)은 자기가 왕이 되게 해준 형수, 우씨와 결혼합니다.

형이 죽으니 동생이 형수의 새 남편이 된다

혹시 '어? 뭐지? 저거 저래도 괜찮은 건가?'하고 생각하셨나요? 이상하긴 하지요. 형이 죽자 동생이 형수와 결혼했으니까요. 그것도 만백성이 우러러보는 왕실에서 그런 일이 일어났습니다. 그런데 아무도 뭐라고 하지 않습니다. 불만 많은 발기도 가만히 보면 그저 왕위 계승 순서만 문제 삼았을 뿐입니다. 어느 누구도 새롭게 부부로 엮인 두 사람을 비난하며 돌을 던지지 않았습니다. 고대 사회는 지금 우리가 생각하는 것보다 많이 달랐던 모양입니다.

남편이 죽고 남겨진 형수와 시동생의 결합은 인류사에서 생각보다 흔한 일이었습니다. 이를 '형사취수혼(兄死娶嫂婚)'이라 합니다. 고대 동아시아에서는 주로 초원의 유목 민족 사이에 널리 퍼진 풍습이었죠. 북방의 부여와 고구려도 그들에게 영향을 받았던 모양입니다. 적어도 고국천왕이 죽고 산상왕이 즉위했던 3세기 무렵 고구려에서 형사취수혼은 그리 이상한 일이 아니었던 것으로 보입니다.

굶주림과 질병, 전쟁이 잦았던 옛날에는 부부가 백년해로하기 쉽지 않았습니다. 남자가 바깥일을 주로 하던 가부장 사회에서 가장이 처자식을 남기고 일찍 죽는 건 무척 흔한 일이었습니다. 남은 아내와 자식들에게는 다행스럽게도 옛날에는 지금보다 친족 집단이 끈끈하게 맺어져 있었습니다. 앞날이 막막한 남은 가족의 생계를 친족이 자연스럽게 챙겨주는 방법 하나가 가장의 동생이 형수와 결혼하는 것이었습니다. 거기다 여자가 다른 엉뚱한 남자와 재혼해서 종족의 재산이 밖으로 새는 걸 막는 효과도 있었지요.

고구려의 변화

고국천왕 때는 고구려에 많은 변화가 일어났습니다. 시골 농부 을파소가 재상이 되어 개혁을 이끌었지요. 고구려를 이루는 5개 부족, 그러니까 5부를 "계루부, 소노부, …"라는 고유 명칭이 아니라 "중부, 동부, 서부, …" 같이 방위 이름으로 부르기 시작했습니다. 말하자면 부족들이 차차 자기 세력을 잃고 행정구역처럼 바뀌면서 왕에게 종속한 것이지요. 각 부족 우두머리들이 자기네 부족에게 하던 걸 왕이 직접 모든 백성에게 베풀기도 했습니다. 굶주린 사람을 나라가 창고를 열어 구해주는 일이었죠. 그게 '진대법'입니다. 이 모든 게 나라가 중앙집권화하는 과정, 왕이 여러 집단을 한 나라로 통합하고 통일성을 갖추는 과정이었습니다.

가장 중요한 건 왕위계승 방식이 크게 바뀌었다는 사실입니다. 고국천왕은 아버지 신대왕에게서 왕위를 물려받았습니다. 사실 그 전에는 왕위를 형제가 상속하는 일이 흔했지요. 그런데 고국천왕 때부터 왕위를 아버지가 아들에게 물려주게 됩니다. 남 눈치 안 보고 왕위를 부자 상속할 수 있다는 것은 그만큼 왕권이 강해졌다는 의미겠지요?

형사취수혼의 주요 기능 하나가 '죽은 형의 대를 잇는 것'입니다. 동생과 형수가 결혼하여 낳은 아들을 형의 아들로 치고 가계를 이어갑니다. 그렇게 따지면 우씨와 연우의 결혼을 왕위 부자 상속 원칙을 굳게 지켜가는 모습으로 볼 수 있다고도 합니다(형사취수혼을 두고 고국천왕에서 산상왕에게 왕위가 형제 상속된 것이라고 보는 견해도 있습니다. 형사취수혼으로 형의 재산과 가족을 동생이 상속하는 측면이 있기 때문이지요).

지금 시대는 천 년쯤 뒤에 어때 보일까

옛날 사람들은 우리와 많이 달랐습니다. 그들에게 너무 자연스러운 일이 우리에게는 꽤 이상하게 보이기도 합니다. 그럼 지금 우리가 너무나 당연하게 생각하는 가치들은 시간이 흐른 뒤에 어때 보일까요? 마찬가지로 무척 이상하게 보일 수도 있을 겁니다. 나와 다르고 지금 당연하게 생각하는 가치와 충돌한다고 그것을 함부로 '이상하다'고 말할 수 있을까요? 다른 나라를 보고 다양성을 생각하기도 하지만 때로는 우리나라의 옛 모습을 보고 사람 사는 모습이 무척 다양할 수도 있다는 것을 느낍니다. 지금 이 시대, 우리가 사는 모습은 천 년쯤 뒤에 어때 보일까요?

04 삼국시대에도 국경을
뛰어넘은 사랑이 있나요?

〈신지영〉

⬆ 익산 소왕릉(선화공주)

⬆ 익산 대왕릉(무왕)

○ 궁남지(충남, 부여)

선화 공주님은

남 몰래 시집가 놓고

서동을

밤에 몰래 안고 간다

삼국시대 이래 지금까지 전해진 가장 오래된 향가로 내용
은 몰라도 누구나 한 번 정도 제목은 들어봤을 서동요입니
다. 훗날 백제 무왕이 되는 서동이 신라 선화공주를 아내로
맞이하기 위해 지은 동요로 누군가는 저 동요를 보면서 아직
도 낭만적인 사랑을 꿈꾸고 있습니다.

그러나 지난 2009년 1월 14일 우리나라를 발칵 뒤집는
사건이 벌어졌습니다. 익산 미륵사지 석탑에서 **'금제사리호***,
금제사리 봉안기*' 등 사리장엄이 발견된 것인데 금제사리 봉

○ **미륵사지 석탑(전북, 익산)**
현재는 탑을 해체하여 복원 중에 있습
니다.

* **금제사리호** | 높이 13cm, 어깨폭 7cm로 금으로 제작되었으며 사리를 담은 병입니다.
* **금제사리 봉안기** | 15.5cm × 10.5cm 크기의 금판에 한자 194자를 새겼는데, "백제 무왕의 왕후가 재물을 희사해 절을
창건하고 기해년에 사리를 봉안함으로써 왕실의 안녕을 기원했다."는 내용입니다.

안기의 내용이 문제가 된 것입니다. 봉안기의 내용에는 시주자인 왕후가 백제 대성 8족 중 하나인 '사씨(또는 사택씨)'로 기록되어 있어 선화공주가 미륵사를 창건했다는 삼국유사의 기록과 차이가 있는 것이었습니다. 삼국시대 가장 극적인 로맨스로 알려진 서동과 선화공주의 이야기가 거짓일 수도 있다는 사실에 사람들은 혼란에 빠졌습니다.

무왕과 선화공주

● 마룡지(전북, 익산)

● 서동 생가터(전북, 익산)

삼국유사의 내용에 따르면 백제 무왕의 이름은 '장'으로 어머니가 연못의 용과 정을 통하여 태어났다고 합니다. 어려서 마를 캐어 생계를 유지하여 사람들에게 서동으로 불렸습니다. 서동은 신라 진평왕의 셋째 공주 선화가 아름답다는 말을 듣고 서라벌로 가서 동요를 지어 아이들에게 부르게 했는데 그 노래가 바로 서동요입니다. 서동요의 내용이 궁궐에까지 전해지자 진평왕은 선화공주에게 금을 주면서 귀양을 보내버렸습니다. 서동은 귀양 가는 선화공주를 기다리다가 만나 자신이 시종을 들겠다고 청하여 공주의 시종을 들게 되었습니다. 그 후 둘은 정을 통하여 혼인을 하게 되고 그때서야 서동은 자신이 서동임을 밝혔습니다. 선화공주가 금을 보여주면서 생계를 유지하고자 하자 서동은 자신이 마를 캐는 곳에 금이 많이 있다고 밝혔고 그 금으로 사람들의 인심을 얻어 왕으로 즉위했다고 합니다. 훗날 무왕과 선화공주가 사자사로 향하는 도중 연못 속에서 나타난 미륵삼존상을 만나 이를 모시기 위하여 미륵사를 창건하게 됩니다.

우리는 삼국유사에 기록된 이 이야기를 들으면서 국경을 뛰어넘은 사랑의 완성이라며 열광을 하였습니다. 그러나 미륵사지 석탑에서 금제사리 봉안기가 발굴되면서 서동과 선화공주의 이야기가 실제 사실이 아닌 허구일 수 있다며 많은 사람들이 의심을 하게 된 것입니다.

서동요의 허구성과 반박

우선 서동과 선화공주의 사랑을 허구로 바라보는 사람들은 대체로 다음과 같은 주장을 합니다.

첫째, 당시 백제와 신라의 관계였습니다. 백제와 신라는 고구려 장수왕의 남진정책에 공동으로 대응하고자 나제동맹을 체결하였습니다. 나제동맹의 최대 성과는 백제 성왕과 신라 진흥왕의 연합 작전이었습니다. 이 작전의 성공으로 백제 성왕은 한강 유역을 상실한지 76년만에 다시 되찾을 수 있었습니다. 그러나 진흥왕의 배신으로 신라에게 한강 유역을 빼앗기자 이에 분격한 성왕은 신라를 공격하다 관산성에서 전사하고 말았습니다. 어제의 동지가 오늘의 적으로 바뀐 사건인 것입니다. 이와 같이 앙숙관계로 변질된 두 나라의 왕족이 과연 혼인이 가능했을까요? 부정적으로 볼 수밖에 없다는 입장입니다.

둘째, 백제왕들과 관련된 여러 사실이 융합된 설화일 가능성이 있습니다. 이와 관련된 왕은 백제 동성왕, 무령왕, 무왕입니다. 동성왕이 나제동맹을 강화하기 위하여 신라 이찬 비지의 딸과 혼인한 사실과 무령왕이 즉위 전 익산 지역의 담로로 근무한 사실, 무왕이 익산을 중심으로 한 새로운 국가체제를 구성하려 했던 사실이 혼재되어 후대에 꾸며진 설화라는 주장입니다. 이에 따르면 선화공주라는 인물 자체는 가공의 인물이 될 수밖에 없습니다.

이와는 반대로 금제사리 봉안기의 내용만을 근거로 선화공주가 무왕의 왕비가 아니라는 논리는 성급하다는 주장이 있습니다.

첫째, 백제는 일부다처제가 통용되는 시대로 금제사리 봉안기에 기록된 왕후 사씨(또는 사택씨)는 무왕이 거느린 여러 명의 왕비 중 한 명일 가능성이 있어 봉안기의 기록만으로 미륵사 창건과 선화공주와의 관련성을 부정하는 것은 합리적이지 않습니다.

둘째, 미륵사지의 탑은 총 3개로 3원식의 구조를 가지고 있으며 금제사리 봉안기가 발견된 것은 서탑입니다. 금제사리 봉안기의 내용을 살펴보면 미륵사 창건에 왕후 사씨(또는 사택씨)가 재원을 시주한 것으로 나타나는데 서탑 및 서원 건설에 한정해 재원을 내놓은 것인지 미륵사 전체 창건에 재원을 내놓은 것인지 분명하지 않습니다. 미륵사의 방대한 규모를 생각한다면 절 창건에 시주한 사람은 여러 명일 수 있으므로 선화공주가 미륵사 창건에 관여했을 가능성은 충분히 있습니다.

❖ 금제사리봉안기(문화재청)

셋째, 금제사리 봉안기에 사리를 봉안한 해가 기해년으로 기록되어 있습니다. 무왕 재위기(600~641) 중 기해년은 639년으로 무왕이 사망하기 2년 전에 봉안을 한 것으로 추측할 수 있습니다. 무려 41년간 왕위에 있었던 무왕의 말년 2년 전이라면 그 시점에 이미 선화공주는 사망했을 수 있다는 가능성도 간과하지 말아야겠습니다.

백제 무왕시대는 관산성 패전 이후 국력을 회복한 백제가 신라에 대대적인 공세를 펼치던 시기였습니다. 어쩌면 난세의 시대에 평화를 바라는 당시 사람들의 염원이 국경을 뛰어넘어 사랑의 결실을 맺은 서동의 이야기에 투영되어 나타난 것일 수 있습니다. 아니면 몰락한 왕족으로 태어나 신라의 공주와 혼인을 하고 극적으로 백제의 왕으로 즉위하여 인생역전에 성공한 무왕의 이야기가 실제 역사적 사실일 수 있습니다.

과연 서동과 선화공주의 이야기는 진실일까요? 허구일까요?

진실과 허구를 밝히는 작업은 역사학자들의 몫이지 우리에게는 중요하지 않습니다. 우리는 서동과 선화공주의 이야기가 주는 의미를 찾으면 되는 것입니다. 그들의 사랑 이야기가 거짓이라고 해서 우리의 가슴속에 있는 서동과 선화공주는 사라지지 않기 때문입니다. 오히려 원수의 나라가 된 백제와 신라의 두 남녀가 이루어질 수 없는 사랑을 이루어낸 이야기가 우리나라에 있다는 사실에 감사함을 느껴야 하겠습니다. 언젠가 마음의 여유를 갖고 익산 지역을 여행할 기회가 있을 때 서동요를 기억하고 무왕과 선화공주의 사랑에 여운을 느낀다면 그것만으로도 충분할 것입니다.

더 찾아보기

• 역사추적 – 무왕의 마지막 승부수

05 의자왕의 궁녀가
정말 삼천 명이었나요?

〈윤관집〉

✿ 백마강(금강)에서 바라본 낙화암

◎ 대야성(경남, 합천)
뒤에 있는 낮은 성입니다.

얼마 전 모 TV 프로그램에서 시민들에게 인터뷰를 하는 장면을 우연히 보게 되었습니다. 백제 의자왕 하면 떠오르는 것을 묻는 인터뷰였습니다. 대다수의 사람들은 뭐라고 답했을까요? 바로 삼천궁녀였습니다. 아마도 우리나라 사람들에게 '의자왕=삼천궁녀' 라는 것이 머릿속에 공식처럼 잡혀있는 듯합니다.

'백제를 망국의 길로 인도한 왕! 삼천궁녀와 함께 사치와 향락을 일삼은 왕!' 과연 의자왕은 정말 삼천궁녀와 함께 향락만을 일삼은 왕이었을까요? 물론 백제 멸망의 책임에서 의자왕이 자유로울 수는 없습니다. 그러나 의자왕에 대한 관련 자료를 조금만 찾아보면 우리가 의자왕에 대하여 많은 오해를 하고 있었음을 금방 알 수 있습니다. 그래서 이 삼천궁녀 속에 가려진 진짜 의자왕의 모습을 살펴 조금이나마 그를 위한 변론으로 삼고자 합니다.

의자왕의 실제 모습과 삼천궁녀

첫째, 의자왕의 인품입니다. 『삼국사기』의 기록에 따르면 용맹하고 결단력이 있으며 형제들 간의 우애도 좋아 '해동증자'라는 칭송을 받았다고 합니다. 그의 아들 부여융의 묘지명에도 '과단성이 있고 침착하고 사려가 깊어서 명성이 높았다.'라는 비슷한 내용이 있어 주변인들에게 신망을 받는 인품의 소유자라는 사실을 알 수 있습니다.

둘째, 의자왕은 재위 기간 중 정복군주에 해당하는 모습을 보여주었습니다. 그는 즉위하자

마자 신라에 대한 대대적인 공격을 단행하여 신라의 서쪽 변경 40여 개의 성을 빼앗아 신라를 궁지에 몰아넣었습니다. 특히, 신라의 요충지였던 대야성을 함락시켜 신라를 충격에 빠지게 하였는데요. 당시 대야성에는 김춘추의 딸 고타소와 사위 김품석이 성주로 있었습니다. 백제군은 이 부부를 참수하여 머리는 백제 수도 사비성으로 보내고 몸은 신라에 돌려주었습니다. 이는 지난날 백제 성왕이 관산성 전투에서 참수 당한 것에 대한 복수를 간접적으로나마 성공한 것이었습니다. 사실 신라는 의자왕 재위 기간 내내 의자왕의 공세에 시달렸으며 국가적으로 큰 위기에 직면해 있었습니다. 이 위기를 타파하고자 김춘추가 고구려의 연개소문을 만났고 왜(일본)까지 건너갔으나 결국 지원을 얻는데 실패합니다. 결국 최종적으로 당나라까지 가서 군사적 지원을 요청하게 됩니다.

○ 낙화암(충남, 부여)

셋째, 삼천궁녀에 대한 진실입니다. 우선 현존하는 우리나라에서 가장 오래된 역사책인 김부식의『삼국사기』(1145년)를 살펴보면 의자왕이 삼천궁녀와 여흥을 즐겼다는 것과 백제 멸망 당시 삼천궁녀가 낙화암에서 몸을 던졌다는 기록은 그 어디에서도 찾아볼 수가 없습니다. 낙화암을 연상시키는 가장 오래된 기록은 일연의『삼국유사』(1281년)로 "궁녀들이 왕포암에서 뛰어내려 자살하였다."는 내용이 최초이고 고려 말에 가서야 낙화암이라는 지명이 나타납니다. 더구나 조선후기 실학자 안정복의『동사강목』(1778년)에는 낙화암에서 몸을 던진 이들이 궁녀가 아닌 비빈으로 기록하고 있습니다. 여기서 알 수 있는 사실은 낙화암이라는 지명보다 왕포암이라는 지명이 먼저 사용되었으며 낙화암에서 몸을 던진 이들이 궁녀인지 비빈이지도 확실하지 않다는 것입니다. 삼천궁녀에 대한 기록도 마찬가지입니다. 삼천궁녀에 대한 최초의 기록은 윤승한이 지은 소설『김유신』(1941년)으로 불과 76년 전입니다. 더구나 기록이라고 부르기에는 부적절한 소설 속에서 등장한다는 점입니다. 삼천궁녀가 낙화암에서 몸을 던졌다는 내용 자체에 신뢰가 가지 않는 부분입니다. 합리적으로 생각해봐도 현재 백제 왕궁터로 추측되는 곳의 규모를 생각했을 때 3,000명의 궁녀가 생활하기에는 공간이 턱 없이 부족합니다. 백제보다 국력이 강했던 조선시대 궁녀의 수가 적을 때는 300명, 많을 때는 700명이었다고 하니 삼천궁녀 이야기는 허구일 가능성이 매우 크다고 하겠습니다.

○ 유왕산(충남, 부여)

넷째, 유왕산 설화를 통해 백제 멸망 후에도 의자왕이 백성들에게 버림받지 않았다는 사실을 알 수 있습니다. 백제가 망한 후 의자왕과 왕자들, 대신 및 백성 12,000여 명이 당나라로 압송되었는데 그때 백성들이 백마강(금강하류) 유왕산에 올라 떠나가는 자신들의 왕과 백성들을 바라보면서 통곡을 하였다고 합니다. 만일 의자왕이 백성을 등지고 사치와 향락을 일삼았다면 백성들이 이러한 행위를 할 수 있었을까요? 비록 나라는 망했지만 백성들에게 있어 의자왕은 여전히 그들의 왕이었던 것입니다.

백제 멸망의 이유

그렇다면 백제는 왜 멸망한 것일까요? 아무 이유 없이 한 나라가 멸망하는 경우는 없습니다. 사실 당시 백제는 대내외적으로 실책을 거듭하고 있어서 나당연합군이 백제를 공격했을 때 유연하게 대처를 하지 못하였습니다. 이것이 의자왕 정책의 실패였다고 평가할 수 있습니다. 그렇기 때문에 의자왕이 백제 멸망의 책임에서 자유롭지는 못한 것입니다.

우선 내부적으로 의자왕은 귀족들과의 화합에 실패하였습니다. 이는 지배층의 분열을 의미하는 것으로 국가 위기 상황에서 하나가 되지 못한 결과를 초래하였습니다. 의자왕은 즉위 후 대규모의 숙청을 단행하여 많은 귀족들과 동생 부여교기 등을 섬으로 추방하였고 아울러 자신

○ 계백장군 묘(충남, 논산)

○ 삼충사(충남, 부여)
부소산성 안에 있습니다. 백제의 삼충신인 계백 · 흥수 · 성충을 모신 곳입니다.

의 아들 41명을 **좌평***에 임명하는 파격을 선보여 많은 귀족들의 반발을 사게 됩니다. 이는 귀족들이 왕의 눈치를 보면서 듣기 좋은 말만 하는 간신과 왕의 눈치를 보지 않고 왕에게 바른 말을 하는 충신으로 분열되는 결과를 낳게 되었습니다. 실제 나당연합군이 백제를 공격했을 때 귀족들은 방어 전략을 놓고 사분오열하는 모습을 보여 초기 대응에 실패하는 모습을 보여줍니다.

다음으로는 외교 전략의 실패입니다. 백제는 지나치게 신라를 압박하였고 이를 견디지 못한 신라는 결국 당나라에 가서 군사적 지원을 요청하게 됩니다. 당시 당나라는 백제에게 신라에 대한 공격을 멈출 것을 수차례 경고하였으나 의자왕은 이를 지속적으로 무시해버렸습니다. 아마 의자왕의 생각은 당나라가 바다를 건너 자신들을 공격하는 일은 없을 것으로 판단한 듯합니다. 그러나 이것은 의자왕의 외교적 오판이었으며 당나라는 의자왕을 비웃기라도 하듯 13만 대군을 이끌고 바다 건너 백제를 공격했습니다. 의자왕의 지나친 자신감이 빚은 실수인 것입니다.

역사는 승자의 기록입니다. 최종적으로 삼국을 통일한 신라는 의자왕에 대하여 긍정적으로 기록할 수 없었습니다. 백제는 망할 수밖에 없는 나라라는 정당성을 확보하려면 마지막 왕이었던 의자왕의 부정적인 면을 부각시켜야 할 필요가 있었습니다. 우리나라의 역사를 살펴보면

***좌평** ┃ 백제 16관등 중 제1품으로 최고의 관직입니다.

이와 같은 사실을 확인할 수 있습니다. 고구려의 멸망 직전 실질적 지배자였던 연개소문과 후백제의 견훤, 후고구려의 궁예 모두 『삼국사기』 반역 열전에 수록되어있습니다. 인간에게는 누구나 밝은 면과 어두운 면이 있듯이 의자왕에게도 마찬가지 모습이 있었습니다. 다만 의자왕의 경우 어두운 면이 지나치게 왜곡되어 있어 그의 실체를 좀 더 면밀히 살필 필요가 있는 것입니다. 삼천궁녀와 함께 주색에 빠져 나라를 망쳤다는 것과 삼천궁녀가 낙화암에 몸을 던졌다는 내용은 모두 왜곡되어 나타난 내용이라 할 수 있습니다. 백제 멸망의 진짜 원인은 의자왕의 지나친 왕권강화로 인하여 나타난 내부 분열과 외교적 오판으로 인한 대외 정책 실패로 정의를 내려야 타당할 것입니다.

◎ 부여 능산리 고분 안에 있는 의자왕과 부여융의 가묘. 가묘란 정식묘가 아닌 가짜 묘 입니다.

더 찾아보기

• 역사추적 – 의자왕 항복의 충격 보고서 예식진 묘지명

06 김유신과 김춘추는 왜 친구가 되었나요?

〈윤관집〉

✚ 김유신 장군묘(경북, 경주)

✚ 태종 무열왕릉(경북, 경주)

여러분들에게는 생소하겠지만 가수 패티김의 "그대 없이는 못살아"라는 노래의 가사를 보면 이런 구절이 있습니다.

그대 없이는 못 살아
나 혼자서는 못 살아
헤어져서는 못 살아
떠나가면 못 살아

남녀 간의 사랑을 노래한 구절이나 한 사람의 인생에서 자신에게 반드시 필요한 존재가 옆에 있어주기를 바라는 의미로 이해할 수 있습니다. 약 1,400년 전 우리 역사에서 이러한 인물들을 찾아볼 수 있습니다. 바로 삼국통일의 주역 김유신과 김춘추입니다.

김유신과 김춘추를 많은 사람들은 비슷한 나이대의 친구로 알고 있으나 실제 김유신은 김춘추보다 9살이 더 많았으며 가깝게는 외가 쪽으로 친척에 해당되었습니다. 여기서 짚고 넘어가야 할 것은 김유신과 김춘추 모두 진골귀족으로 흔히 우리가 부르는 금수저의 화려한 생활을 했을 것으로 오해할 수 있다는 것입니다. 사실 이 둘은 신라 진골귀족사회에서 소외를 당했던 불우한 처지에 있었습니다. 왕따들의 인생 역전이라고 해야 할까요? 손을 맞잡고 의기투합한 두 사람은 신라 사회에서 최고 실력자로 등장하게 되었습니다. 그렇다면 왜 김유신과 김춘추는 신라 진골귀족사회에서 소외를 당하고 있었을까요?

○ 김유신 동상(서울, 중구)
　남산공원 안에 있습니다.

김유신과 김춘추의 처지

○ **김유신 생가터(충북, 진천)**

먼저 김유신은 신라 출신이 아니라 금관가야의 왕족 출신으로 증조할아버지가 금관가야의 마지막 왕 구형왕이었습니다. 김유신 집안이 진골귀족사회에서 소외를 당하고 있었다는 사실은 김유신의 아버지 김서현과 어머니 만명 부인의 이야기를 통해서 짐작할 수 있습니다.

만명 부인은 진흥왕의 아우 숙흘종의 딸로 김서현과 만명 부인은 서로 사랑하는 사이였습니다. 숙흘종은 이 둘 사이를 부정하며 엄청난 반대를 하였다고 합니다. 아마도 진골 중의 진골이었던 자신의 딸이 가야 출신의 남자와 혼인하는 것을 탐탁지 않았을 것입니다. 어쩌면 숙흘종의 머릿속에 김유신 집안은 가짜 진골로 생각하고 있었을지 모릅니다. 김서현이 만노군(현 충청북도 진천군)태수로 전출되자 숙흘종은 만명 부인이 김서현을 따라 도망가는 것을 막기 위해 별채에 가두었으나 때마침 벼락이 내리치자 혼란한 틈을 타 창문으로 탈출해 만노군으로 가게 되었습니다. 그곳에서 김유신이 태어나게 됩니다. 이 이야기는 김유신의 탄생과 관련된 이야기로 당시 김유신 집안의 처지를 상징적으로 보여준다고 하겠습니다.

김춘추의 경우도 김유신과 크게 다르지 않았습니다. 김춘추의 할아버지는 신라 25대왕 진지왕이었으나 재위 4년 만에 정사를 돌보지 않고 주색에 빠졌다는 이유로 귀족과 사도태후에 의하여 폐위되고 말았습니다. 김춘추는 폐위된 왕의 손자로 살아가게 된 것입니다. 신라 성골로 마지막 남자 왕이었던 진평왕은 아들이 없는 상태여서 훗날 여왕들(선덕여왕과 진덕여왕)이 즉위하는데 김춘추는 그 여왕들 다음에 즉위할 유력한 왕위 계승자 중 한 명이었습니다. 그러나 폐위된 왕의 손자라는 멍에를 짊어진 그는 진골귀족들에 의하여 견제와 위협에 시달려 하루하루가 순탄치 못한 삶을 살고 있었던 것입니다.

이러한 상황에서 먼저 손을 내민 쪽은 김유신이었습니다. 김유신에게는 두 명의 누이가 있었는데 바로 보희와 문희입니다. 보희가 어느 날 서라벌의 서쪽 산에 올라 소변을 보는 꿈을 꾸었는데 서라벌 전역이 물에 잠기게 되었다고 합니다. 이 꿈을 문희가 비단치마를 주고 사게 됩니다. 그 후 어느 날 김유신은 김춘추와 축국(공놀이)을 하던 중 김춘추의 옷깃을 밟아 옷을 찢어놓은 뒤 자신의 집에 가 옷을 수선할 것을 제안합니다. 김유신은 보희에게 김춘추의 옷을 꿰매게 했으나 보희는 이를 거부하여 결국 문희가 옷을 수선해 주었습니다. 이 일로 김춘추와 문희는 가까운 사이가 되었고 문희는 김춘추의 아이를 임신하게 됩니다. 여기서 김춘추는 문희와의 혼인을 주저하게 됩니다. 아마도 김유신 집안이 가야 출신이라는 점이 그의 선택을 어렵게 만들었던 것으로 추측됩니다. 이에 김유신은 꾀를 내어 선덕여왕이 남산에 오르는 날 마당에 땔감을 놓고 불을 질러 연기를 피우게 하였습니다. 남산에 오른 선덕여왕이 김유신의 집에서 연기가 나는 모습을 보고 그의 집으로 행차를 하게 됩니다. 김유신이 문희를 불 태워 죽이려 하는 상황을 본 선덕여왕은 그 이유가 혼인 전에 아비가 누군지 모르는 아이를 임신한 것임을 알고 문희 뱃속 아이의 아버지에 대해 분노하게 되었습니다. 결국 김춘추는 자신이 아버지임을 밝히며 문희와 김춘추는 혼인을 하게 됩니다.

이 이야기는 가야 출신이라는 이유로 출세에 한계가 있음을 인지한 김유신이 김춘추에게 의도적으로 접근하여 손을 잡은 사건으로 해석할 수 있습니다. 김유신에게 있어 김춘추는 자신에게 부족한 정치적 능력을 보완해 주는 사람이었으며 김춘추에게 있어 김유신은 자신이 왕이 되는데 필요한 군사적 기반을 갖고 있었던 것입니다.

◎ 비담의 난 근거지 명활산성(경북, 경주)

운명 공동체인 김유신과 김춘추

그 후 김유신과 김춘추는 신라 최고 실력자로 등장하게 되는데 그 계기가 바로 비담의 난입니다. 선덕여왕이 죽기 직전 상대등 비담이 난을 일으키자 김유신과 김춘추는 월성에 주둔하면서 반란군과 약 10일 동안 대치를 합니다. 이때 유성이 월성에 떨어지는 사건이 발생하는데 전쟁에서 유성이 떨어지는 것은 불길한 징조로 유성이 떨어진 방향의 김유신군의 사기는 떨어지고 반란군의 사기가 크게 올라갔습니다. 이때 김유신이 연에 허수아비를 매달아 불을 붙여 다시 하늘로 올려 버리니 사기가 역전이 되어 김유신군은 대승을 거두게 됩니다. 그 사이 선덕여왕이 사망하고 선덕여왕의 사촌 승만이 즉위하여 진덕여왕이 되었습니다. 이 사건은 김춘추를 견제하던 진골귀족세력을 김유신이 군사적 실력으로 제압한 것으로 진덕여왕 다음 차기 국왕을 김춘추가 예약한 것으로 이해할 수 있습니다. 김유신과 김춘추 이 쌍두마차가 신라를 이끌어 가기 시작했다고 볼 수 있는 것입니다.

⊙ **자매정(경북, 경주)**
김유신의 옛집터로 전쟁 중 김유신이 문앞에 가서 우물에서 물을 떠오라고 시킨 후 그 물을 마시면서 "우리집 물맛이 그대로이구나"하고 집에도 들르지 않고 전장터로 나갔습니다.

권력을 장악한 김유신과 김춘추도 위기의 순간이 있었습니다. 바로 백제 의자왕의 신라 공격이었습니다. 백제는 의자왕 즉위 후 신라에 대대적인 공격을 하여 신라의 서쪽 변경 40여 개 성을 빼앗습니다. 의자왕 즉위 후 신라는 백제에게 군사적으로 수세에 몰리며 국가적 위기에 봉착하게 된 것입니다. 여기에 김춘추를 더욱 큰 충격에 빠지게 한 것은 대야성에서 자신의 딸 고타소가 백제군에 의하여 살해당한 것이었습니다. 당시 기록에 의하면 하루 종일 기둥에 기대 서서 눈도 깜빡이지 않고 사람이 지나가도 몰랐다고 하니 당시 충격이 상당했음을 알 수 있습니다. 사내대장부로 태어나 반드시 백제를 멸하겠다는 다짐을 한 김춘추는 고구려로 가서 연개소문을 만나 군사적 지원을 요청합니다. 이러한 김춘추의 행동은 얼핏 보면 딸을 위해 복수를 하는 아버지의 모습으로 비춰질 수 있습니다. 그러나 사실은 대야성을 비롯한 대백제전 패배로 인하여 김유신과 김춘추의 정치적 입지가 좁아지자 이 난관을 벗어나기 위한 그들의 타개책으로 보는 것이 타당합니다.

여하튼 김춘추의 군사적 지원 요청에 연개소문은 오히려 **죽령*** 이북의 영토를 고구려에 반환할 것을 요구하였고 이를 거부한 김춘추는 감금당하게 됩니다. 이때 김유신은 김춘추가 감금된 사실을 알고 결사대 1만 명을 거느리고 한강을 건너 고구려의 남쪽 변경으로 진군하여 고구려와 전쟁까지 불사하려는 행동을 보여줍니다. 감금 당한 김춘추는 고구려에서의 탈출을 위해 선도해라는 관리에게 뇌물을 주어 귀토지설(토끼전의 근원 설화)이라는 책을 얻게 됩니다. 책의 내용에서 힌트를 얻은 김춘추는 연개소문에게 죽령 이북의 영토를 반환할 것을 거짓으로 맹세했고 김유신의 결사대가 국경에서 농성 중이라는 소식을 들은 연개소문은 김춘추를 풀어 주게 됩니다. 이것은 김유신과 김춘추가 운명 공동체였음을 보여주는 사례라 할 수 있습니다. 김유신과 김춘추 둘 중 하나만 사라져도 자신의 존재가 위협을 받는 바늘과 실과

◎ **태종 무열왕릉비(경북, 경주)**
태종 무열왕릉 앞에 있습니다.

***죽령** | 충청북도 단양군 대강면과 경상북도 영주시 풍기읍 경계의 소백산맥에 있는 고개입니다.

같은 사이였던 것입니다. 김유신은 김춘추가 필요했기에 어찌 보면 무모할 수 있는 군사적 행동을 한 것이고 김춘추 역시 김유신을 믿고 있었기에 목숨을 걸고 고구려로 가서 연개소문과 담판을 했던 것입니다.

　김춘추에게 있어 김유신은 자신이 가장 믿을 수 있는 친구이자 처남이었으며 자신이 국왕으로 즉위하는데 반드시 필요한 존재였습니다. 김유신에게 있어서도 김춘추는 가야 출신이라는 핸디캡을 극복하고 무늬만 진골귀족이었던 자신의 집안이 신라 사회에서 생존할 수 있게 하는 유일한 대안이었습니다. 서로의 이해관계가 통한 두 사람은 인생의 동반자로서 서로의 목적을 위하여 의기투합하였던 것입니다.

　우리는 이 둘의 이야기를 통하여 한 가지 교훈을 얻게 됩니다. 자신의 앞날이 보이지 않더라도 좌절하지 않고 자신에게 주어진 환경에서 해결할 수 있는 최선의 방법을 찾아보는 것입니다. 사람의 인생에서 김유신과 김춘추와 같이 믿고 의지할 수 있는 존재를 만난다는 것은 쉽지 않지만 그러한 친구를 만난다면 고민과 해결의 짐을 덜 수 있을 것입니다. 김유신과 김춘추는 이러한 선택을 했으며 그 결과 역사에 이름을 남기게 되었습니다. 우리의 인생에서도 이와 같은 죽마고우 한 명은 만들어 보는 것이 어떨까 하는 생각을 해봅니다.

더 찾아보기

• 역사스페셜 – 김유신이 왕이 된 까닭은

07 석굴암은 왜 세계적인 문화유산인가요?

〈김선우〉

◐ **석굴암 본존불(문화재청)**
총 높이 326cm, 대좌 높이 160cm의 거대한 불상입니다.

실망스러울 수밖에 없는 세계적인 문화유산

석굴암은 불국사에서 차를 타고 7.5km를 더 가야 합니다. 그리고 차에서 내린 후 산길을 따라 10분 정도 더 올라가야 하죠. 불국사를 본 뒤 석굴암을 가는 경우가 많기 때문에 이미 지친 상태에서 산길을 올라가니 보기도 전에 지친 학생들이 많습니다. 거기에 석굴암은 입장료가 저렴하지 않습니다. 어른은 5,000원이나 하고 청소년도 3,500원입니다. 단체로 왔다고 하더라도 500원 밖에 빼주지 않습니다.

그래도 '우리나라 최고의 문화유산이다', '**동양의 3대 미술품*** 중 하나이다'라고 극찬하는데 안 보러 갈 수도 없고 기대하는 마음으로 갑니다. 그런데 석굴을 보러 가면 유리로 막혀 있어 들어갈 수가 없을 뿐만 아니라 생각보다 작다고 얘기하는 학생이 많습니다. 또한, 대부분 초등학교나 중학교 때 수학여행처럼 단체로 갔기 때문에 느긋하게 볼 수 없습니다. 한 1분 봤나 싶은데 뒷사람에게 밀려 내려가야 합니다. 그렇다고 누가 이 위대한 문화유산이 얼마나 대단한지 설명해 주지도 않습니다.

● 석굴암 전경(경북, 경주)

많은 청소년들이 석굴암을 봤지만 감동을 느꼈다는 학생들을 보기 힘든 이유입니다. 석굴암의 입구를 보고 석굴암을 봤다고 얘기하는 것은 석굴암에 대한 예의가 아니라는 생각이 듭니다. 그럼 이제부터 석굴암이 얼마나 대단한지 한 번 살펴보도록 하죠.

석굴암의 창건

석굴암의 원래 이름은 석불사로 **김대성***이 만들었습니다. 김대성은 석불사를 751년에 만들기 시작하여 774년에 완성을 보지 못하고 죽습니다. 이에 나라에서 마저 만들었다고 하는데 완공된 해는 정확히 알 수는 없지만 780년경으로 추측됩니다. 만들어진지 1,200년이 훨씬 넘는 것임을 알 수 있습니다.

---

* **동양의 3대 미술품** | 동양의 3대 미술품은 중국의 원강 석불, 일본의 호류사 금당 벽화, 한국의 석굴암을 말합니다.
* **김대성** | 전생(前生)의 부모를 위해 석불사를, 현생(現生)의 부모를 위해 불국사를 만들었습니다.

◉ 아잔타 석굴

◉ 원강 석굴

◉ 룽먼 석굴

석굴암의 가장 큰 위대함은 바로 1,200년이 넘은 석굴 사원임에도 본존불 및 주요 조각이 원형 그대로의 모습이라는 것입니다. 교과서에서 많이 나오는 인도의 아잔타 석굴, 중국의 원강 석굴, 룽먼 석굴 등을 보면 세월의 흐름을 여실히 느낄 수 있습니다. 그러나 석굴암은 몇십 년 전에 만들었다고 해도 믿을 수 있을 정도로 원형 그대로의 모습입니다.

석굴암 원형 유지의 비밀

어떻게 이것이 가능했을까요? 석굴암이 다른 석굴사원과 같이 굴을 파서 만든 것이 아니라 자연석을 다듬어 돔을 쌓은 위에 흙을 덮어 굴처럼 보이게 한 세계에서 유일한 인공석굴 건축물이기 때문입니다.

지금의 석굴암은 1913년 일제가 완전히 해체·보수하면서 원형이 어떠한지 정확하게 알 수 없게 되었습니다. 그래서 원래 석굴암의 모습이 어떠한지 학자들 사이에서도 **논쟁***이 많죠. 또한, 석굴암 안을 들어가지 못하도록 유리를 막아 놓았습니다. 보이지는 않지만 돔 위에는 이중으로 콘크리트를 덮었고요. 자연 제습이 되지 않아 제습기로 습기를 제거하고 있습니다.

◉ 석굴암 원래 모습 예상 모형

그러나 불과 100여 년 전만 하더라도 이렇게까지 기계를 이용하여 제습을 하지 않았습니다.

*논쟁 | 전실에 목조 지붕이 있었는가의 문제, 전실 석상의 전개 문제, 광창이 있었는가의 문제 등이 있었습니다.

천 년 넘게 원래의 모습이 유지될 수 있었던 이유는 자연 제습 기능이 있었기 때문입니다. 원형의 석굴 밑에는 2개의 샘물이 있었는데 이 때문에 석굴바닥의 온도가 조각이 있는 벽면보다 낮아 바닥 돌에서만 **결로현상*** 이 나타났습니다. 또한, 10개의 감실 뒤로는 공기가 흐르도록 하여 더운 공기가 위로 빠져 나가도록 설계하였습니다. 이렇게 하니 본존불이 있는 곳은 석굴 안이지만 마치 진공상태

❂ **일제강점기 석굴암**

처럼 되어 훼손이 되지 않게 되었습니다. 이것을 일제 때 보수를 한답시고 2m 콘크리트를 덮었고, 박정희 정권 때 다시 보수한다고 이중 콘크리트 돔을 만들었습니다. 하지만 습기를 제거할 수 없어 지금은 기계 장치로 관리하고 있습니다.

4차원의 예술

보통 1차원은 선, 2차원은 면, 3차원은 공간이라고 합니다. 석굴사원은 굴을 파서 만들기 때문에 입체적으로 만들기 어려운 2차원입니다. 그러나 석굴암은 굴을 판 것이 아니고 쌓아 올렸기 때문에 입체적으로 만들 수 있는 3차원이 되었습니다. 여기에 시간이 더해진 것이 4차원인데 석굴암은 시간을 거스르는 4차원의 건축물이 되었습니다.

해를 상징

별을 상징

달을 상징

❂ **석굴암 내부 천정**

---

*결로현상 | 실내 공기층의 습기가 차가운 벽체나 천정에 이슬이 되어 맺히는 현상을 말합니다.

석굴암을 만들었던 사람들은 이 위대한 사원이 시간에 구애받지 않는 영원한 작품이 되길 원했고 그것을 실제로 이룬 것입니다. 석굴암은 석굴사원임에도 불구하고 마치 만든 지 몇십 년도 되지 않은 것처럼 완벽히 유지가 되는 위대한 작품입니다. 이에 사람들은 석굴암을 볼 때 '종교와 과학과 예술이 하나 됨을 이루는 지고의 최고미' 라느니 '보지 않은 자는 보지 않았기에 말할 수 없고, 본 자는 보았기에 말할 수 없다'와 같은 극찬을 합니다. 동양의 3대 미술품으로, 세계적인 문화유산으로 평가를 받습니다.

석굴암의 우주관

또한 석굴암은 **천원지방***의 우주관을 완벽하게 구현하였습니다. 본존불이 있는 곳은 원형으로 되어 있는데 천장을 해로 보면, **광배***는 달, 천장에는 30개의 별이 있습니다. 30개의 별은 팔뚝돌로 되어 있는데 밖으로 2m 정도 돌출되어 있습니다. 돔 양식이 익숙하지 않았던 신라인들은 팔뚝돌을 넣어 안정성을 확보하였을 뿐만 아니라 천장에 별들도 새겨 넣어 장식성도 더하였습니다. 보통 광배는 몸에 붙이기 마련이지만 석굴암은 광배를 띄어 놓아 입체성을 더했을 뿐만 아니라 우주를 완성하는 하나의 도구로 만들었습니다. 전실(前室)은 네모나게 만들어 참배 공간으로 만들었고 땅을 상징하게 만들었습니다. 큰 공간에 많은 것을 집어넣는 것이 어려운지 작은 공간에 많은 것을 집어넣는 것이 어려운지 얘기하지 않아도 쉽게 알 수 있습니다. 불과 몇십 평 밖에 되지 않는 공간에 하늘과 땅을 집어넣을 수 있는 신라인들이 멋지지 않습니까?

석굴암 조각의 우수성

석굴암은 조각으로도 완벽합니다. 그러나 많은 사람들이 석굴암의 조각을 다른 나라의 조각들과 비교하여 폄하하는 모습을 종종 봅니다. 과연 그러할까요? 전 세계인의 찬사를 받고 있는 에스파냐의 알함브라 궁전의 조각들은 석고입니다. 영국의 캔터베리 대성당이나 프랑스 파리에

***천원지방** | 하늘은 둥글고 땅은 네모지다는 동양의 우주관을 말합니다.

***광배** | 불상의 머리나 몸체 뒤쪽에 있는 원형 또는 배 모양의 장식물을 광배(光背)라 하는데, 이것은 부처님의 몸에서 나오는 빛을 상징화한 것입니다.

⊙ 간다라 조각상(2~3세기)
(국립중앙박물관)

⊙ 노틀담 대성당의 조각상

⊙ 이탈리아 대리석상

있는 노틀담 성당의 정교한 수많은 조각상들은 석회석으로 만들어졌습니다. 이탈리아의 살아있
는 것 같은 아름다운 조각상들은 대리석입니다. 동남아시아나 인도에 있는 수많은 불상, 불탑,
힌두교 석상들은 대부분 진흙과 같은 재료로 만든 것입니다.

⊙ 석굴암 십일면관음상

⊙ 석굴암 인왕상

⊙ 10대 제자상

⊙ 문수보살상과 제석천상

그러나 석굴암의 조각들은 화강암입니다. 화강암은 재료가 균일하지 않다는 특징을 갖고 있
습니다. 장석, 운모, 석영 등 서로 다른 재료로 되어 있으므로 예상치 못한 결 때문에 조각할 때
쪼개질 위험성이 많습니다. 또한, 화강암은 경도(硬度)가 높아 섬세한 조각을 하기가 아주 힘
든 재질입니다. 쉽게 얘기하면 조각가가 원하는 모양으로 조각 가능한 재료로 만든 작품과 엄청

딱딱하고 어떻게 떨어져 나갈지 모르는 재료로 조각한 작품을 동급으로 취급할 수 있는가의 문제입니다. 단순히 힘든 재료로 만들었다가 아니라 그런 재료로 완벽한 조각을 하였다는 것입니다. 본존불의 아름다움뿐만 아니라 십일면관음상, 10대제자상, 10개의 감실, 인왕상 등 조각 모두가 정말 위대하다는 표현만으로는 부족합니다.

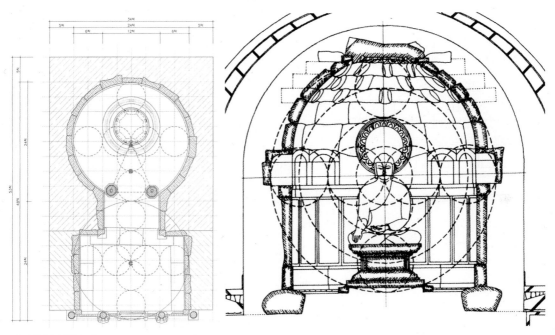

❖ 석굴암 측량 모습

석굴암의 수학적 · 과학적 설계

석굴암은 수학, 과학적으로도 완벽에 가깝다고 합니다. 10m를 재었을 때 1mm의 오차도 허용하지 않았다고 합니다. 1만분의 1의 실수도 보이지 않은 것입니다.

석굴암에는 12자를 기본으로 하면서 정사각형과 그 대각선의 길이인 $\sqrt{2}$ 의 응용, 정삼각형의 높이의 응용, 원에 내접하는 육각형과 팔각형 등의 비례구성으로 되어 있습니다. 쉽게 얘기하면 대충 만든 것이 아니고 철저한 계획에 의해 수학적으로 만들어졌다는 것입니다.

본존불은 얼굴과 가슴, 두 어깨, 두 무릎 폭이 1:2:3:4의 비율인데 가장 이상적인 몸의 비례라고 합니다. 그래서 이 본존불이야말로 불상의 백미라고 할 수 있습니다.

저는 석굴암을 대학교 4학년 때 처음 보았습니다. 석굴암에 대해 잘 알고 싶어서 관련된 책

10권 정도는 읽고 갔습니다. 그런데 제가 석굴암을 보면서 느낀 것은 과학 기술이니, 제습 방법이니, 김대성의 키가 170cm이니, 온갖 상징성에 관한 것들이 아니라 탄성이 절로 나오는 뛰어난 조각 예술의 아름다움이었습니다. 신라인들이 이상적으로 생각했던 사람의 모습을 보았습니다. 그냥 위대한 조각 앞에 넋 놓고 바라보다 왔습니다. 위대한 창조물 앞에서 사실 무슨 설명이 필요하겠습니까?

다시 석굴암에 갈 기회가 있다면 천 년 넘게 석굴암이 유지된 비결을 배울 수 있는 신라역사과학관에 들려 원래의 모습은 어땠는지도 살펴보고 스치듯이 보고 오는 것이 아니라 본존불과 깊은 대화를 나누어 보는 것이 어떨까요?

더 찾아보기

• EBS 클립뱅크 – 석굴암
• 세계유산 시리즈 – 2편, 석굴암·불국사
• 한국의 세계유산 시리즈 1편(석굴암)

08 포석정에서 왕은 무슨 놀이를 했나요?

〈김선우〉

◎ 포석정(경북, 경주)

포석정의 크기 및 모양

  포석정*에 실제로 가 보면 '이게 뭐야' 하는 생각이 들 정도로 평범한 유적입니다. 돌 63개를 붙였는데, 크기가 작습니다. 길이 10.3m, 폭 7m 정도입니다. 물이 다니는 길을 재어 보아도 약 22m 정도입니다. 물길의 폭은 최소 24cm에서 최대 40cm으로 다양하지만, 평균적으로는 30cm 정도입니다. 깊이도 그다지 깊지 않은 22cm 정도이며 물이 흐르도록 하기 위하여 물길의 입구와 물이 나가는 출구의 낙차가 있는데 40cm 정도입니다.

  예전에는 전각이 있었다는 얘기도 있으나 지금은 없습니다. 또한, 남산계곡으로 들어오는 입구에 거북 모양의 큰 돌이 있었고, 그곳에서 물이 나오도록 만들어졌다고 하지만 지금은 그것도 남아 있지 않습니다. 오히려 500년 된 고목의 뿌리에 의해 지반의 융기가 약간 있어 입구 쪽 돌이 들어 올라갔습니다.

⊙ 들려 올려진 입구쪽

포석정은 어떤 곳

  포석정은 망국의 역사 현장이라고 많이들 알려져 있습니다. **경애왕***이 견훤이 오는지도 모르고 연회를 즐기다 후백제 군대에게 붙잡혔고, 견훤의 강요로 결국 자살하였다고 합니다. '얼마나 형편없는 왕이기에 적이 오는지도 모르고 흥청망청 했냐'라고 사람들의 원성을 듣는 장소가 되었습니다.

⊙ **경애왕릉(경북, 경주)**

***포석정** | 포(鮑)는 전복을 의미한다. 모양이 전복껍질처럼 생겨서 붙여진 이름입니다.

***경애왕** | 신라의 55대 왕(924년~927년)으로 56대 경순왕 때 신라는 고려에 스스로 항복하여 통합되었습니다.

◎ 동궁과 월지(경북, 경주)

◎ 나정(경북, 경주)

◎ 주령구(酒令具)

포석정을 보면서 이런 신라는 망해도 싸다는 생각을 갖게 되었습니다.

그러나 최근 이러한 비판이 옳지 않다는 시각이 많습니다. 우선 견훤이 온 때는 927년 음력 11월, 오늘날 양력으로 계산하면 12월에서 1월 초입니다. 한겨울에 밖에서 술을 마셨다? 이상하지 않은가요? 뿐만 아니라 왕은 월성에 있었는데 월성 바로 앞에는 **월지(月池)***라는 매우 훌륭한 연회장소가 있습니다. 그런데 월성에서 5km 이상이나 떨어져있는 포석정에 가서 연회를 했을까요? 이뿐만이 아닙니다. 포석정이 위치한 남산은

◎ 포석정 출토 유물(국립경주박물관)

***월지(月池)** | 조선에서 폐허가 된 이곳에 기러기와 오리들이 날아들어 조선의 묵객들이 안압지라 이름 붙였습니다. 1980년 발굴된 토기 파편 등으로 신라시대에 이곳이 월지라고 불렸다는 사실이 확인 되었습니다.

신라로서는 매우 신성시되는 곳입니다. 140여 곳의 절터와 500여 개의 불상과 탑들이 있는 곳으로 그 자체가 신라의 성지입니다. 포석정 근처에 있는 나정(蘿井)은 박혁거세 설화와 연관된 곳이고, 반월성 이전 신라의 첫 도읍지도 포석정 근처에 있습니다. 또한, 이곳은 박씨의 선산인 듯 박씨 왕들의 무덤이 즐비합니다. 경애왕 또한 박씨 왕으로서 연관성이 있어 보입니다.

경애왕이 포석정에서 한 일

그러면 경애왕은 추운 겨울날 이곳까지 와서 무엇을 하였을까요? 요즘 가장 많이 언급되는 것은 나라를 위해 제사를 지냈다는 주장입니다. 1998년 포석정 근처에서 통일신라 이전의 많은 유물들과 함께 제사에 사용하는 그릇들이 출토되었습니다. 1995년에 발견된 『화랑세기』 필사본에도 포석정과 연관된 '포사(鮑祀)'*, '포석사(鮑石祀)'란 말이 나와, 포석정이 사당의 기능을 했다는 해석이 더욱 설득력이 높아졌습니다. 또한, 포석사에는 화랑 중의 화랑으로 여겨지는 문노의 화상이 있었고, 우리가 잘 아는 김춘추와 김유신의 동생 문희의 혼인식이 열린 곳이기도 하였습니다. 한마디로 포석정은 국가의 안녕을 기원하고 나아가 귀족들의 혼례를 거행하는 매우 중요한 장소였음을 알 수 있습니다. 경애왕은 아마도 포석정에서 호국신(남산신)에게 신라의 안위를 빌며 제사를 지냈을 겁니다. 이렇게 보면 문헌에 나오는 '유포석정(遊鮑石亭)'이란 문구의 기록은 "포석정에서 연회를 베풀고 놀았다"가 아니라 "포석정에 갔다"로 해석되어야 합니다. '유(遊)'자를 놀았다가 아니라 갔다로 이해하면 될 것입니다.

유상곡수연

포석정에서는 **유상곡수연(流觴曲水宴)***이라는 것을 하였습니다. 유상곡수는 중국의 명필 왕희지가 친구들과 함께 물 위에 술잔을 띄워 술잔이 자기 앞에 오는 동안 시를 읊어야 하며, 시를 짓지 못하면 벌로 술 3잔을 마시는 놀이였습니다. 포석정도 이를 본떠서 만들었기에 왕의 놀이터라는 오해를 산 것으로 보입니다.

---

*포사 | 사(祀)자는 제사 사자입니다.
*유상곡수연 | 유상곡수연(흐를流, 술잔觴, 굽을曲, 물水, 잔치宴)

중국이나 일본의 유상곡수는 물위에 잔을 띄우면 흘러내려가기는 하되 좀체 맴돌지 않고 그냥 흘러갑니다. 술잔이 오는 동안 시구를 지어야 하니 당연히 크게 만들 수밖에 없었습니다. 그에 반해 우리나라의 포석정은 매우 작습니다. 이런 작은 곳에서 유상곡수연을 하려면 어떻게 해야 할까요? 그게 가능은 한 걸까요?

포석정이 단순한 유적이 아닌 대단히 뛰어난 과학적 유적인 것은 술잔이 사람 앞에서 맴돌도록 설계되었다는 것입니다. 술잔이 흘러가다가 어느 자리에서 맴돌게 된다는 거지요. 이것은 **유체역학***적으로 와류(회돌이)현상이라고 하는데 쉽게 얘기하면 소용돌이가 나타난다는 겁니다. 예전에 역사스페셜에서 실제로 포석정에서 실험을 하였는데 물 위에 송진가루를 뿌렸더니 회돌이 하는 모습을 볼 수 있었습니다.

그런데 이렇게 인공적으로 회돌이 현상이 나타나도록 하려면 어떻게 해야 할까요? 한 과학자의 글을 보면 서로 다른 샘플을 만들어 한 가지 당 최소한 1천 번 이상의 반복 실험을 해야 알 수 있다고 합니다. 한 번의 실험에 하루가 소요된다면 최소한 13년은 지나야 실험결과를 얻을 수 있습니다. 아마도 신라인들이 포석정의 회돌이 현상을 정확히 포착하기 위해서는 적어도 수천 번 이상의 실험을 거쳤다고 생각됩니다. 흘러내리는 물의 양, 속도, 수로의 형태와 폭-깊이, 측면의 만곡률, 표면장력, 술잔의 형상-크기-중량-초기의 위치 등 고려해야 할 것들이 하나 둘이 아니었습니다. 포석정에 나중에 가셔서 자세히 보시면 단순히 돌들을 붙여 놓은 것이 아니라 굴곡이 있고 폭이 다르고 깊이가 다른 것임을 알 수 있습니다. 이 모든 것이 회돌이 현상이 나타나도록 계획적으로 만든 것이라고 생각하면 정말 대단하다는 말이 나올 것입니다. 그래서 포석정을 연구한 학자들은 포석정을 아무리 칭찬하여도 지나치지 않는 우리나라의 과학 문화재 중 세 손가락 안에 꼽히는 놀라운 작품이라고 극찬을 합니다.

이런 점을 종합해 보면 포석정이 단순히 풍류를 즐기기 위한 오락시설이 아니라 신탁이 행해지는 종교적인 장소라는 결론이 나오게 됩니다. 단순히 술잔을 돌리는데 사용하기에는 너무나 고차원적인 유체역학이 사용되었다는 뜻입니다.

---

*유체역학 | 유체역학(流體力學)은 유체(액체와 기체)의 운동에 대해서 연구하는 학문입니다.

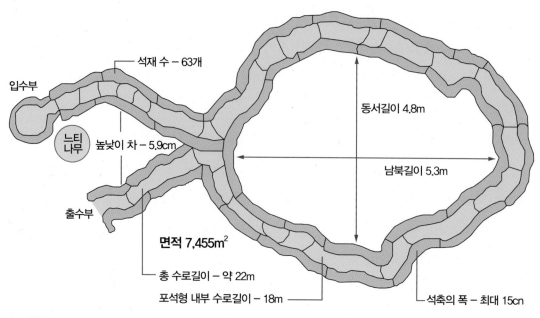

입수부

석재 수 – 63개

느티 나무

높낮이 차 – 5.9cm

출수부

동서길이 4.8m

남북길이 5.3m

면적 7,455m²

총 수로길이 – 약 22m

포석형 내부 수로길이 – 18m

석축의 폭 – 최대 15cn

❍ 포석정 구조

포석정이 망국의 상징이 된 이유

❍ 숭례문(남대문)
화재전의 모습입니다.

❍ 흥인지문(동대문)

그런데 이 위대한 문화유산이 망국의 상징으로 알려졌습니다. 이렇게 된 데에는 일본의 불순한 의도도 한 몫 했습니다. 일본은 1934년 조선의 보물 문화재를 지정하는데 남대문을 **보물***

***보물** | 국보라 하지 않은 것은 당시 일본은 내선일체를 부르짖고 있었는데 일본의 국보는 식민지 조선의 국보가 되고 조선은 국권은 상실한 나라이기에 보물 밖에 되지 않는다는 뜻입니다.

1호로, 포석정을 **고적*** 제1호로 지정했습니다. 남대문은 임진왜란 때 왜장인 가토 기요마사가 빠져나온 문이었고 보물 2호인 동대문은 고니시 유키나가가 입성한 문이었습니다. 당시 **남대문***과 **동대문***은 조선의 기념물이 아닌 임진왜란 때 일본의 전승기념물로 등록된 문화재인 것입니다.

한편, 포석정이 고적1호가 된 것은 신라의 망국 장소로서 적이 쳐들어 왔는데도 술에 취해 있다가 죽임을 당한 경애왕을 보면서 결국 너희들은 이렇게 식민지가 될 수밖에 없는 운명임을 심어주려는 일제의 숨은 의도가 엿보입니다. 그래서 더욱 포석정의 원래 의미를 되살려 주는 것이 중요하다고 생각합니다. 나라가 망해가는 줄도 모르고 놀다가 죽은 곳이 아니라 추위와 죽을 위험을 무릅쓰고 나라를 위해 제사를 지낸 곳으로 기억해야 합니다.

***고적** | 1962년 문화재 보호법 제정 때 보물은 대부분 국보로 바뀌었고 고적은 사적으로 바뀌었습니다.
***남대문** | 남대문은 단순히 방향을 가리키는 용어로 원래 이름은 예(禮)를 높이는 문이라는 뜻을 가진 숭례문입니다.
***동대문** | 동대문의 원래 이름은 인(仁)을 일으키게 하는 문이라는 뜻을 가진 흥인지문입니다.

더 찾아보기

• 신라 천년 고도 보물창고, 경주, 포석정

09 한반도에는 언제부터 귀화인이 살기 시작했나요?

〈신지영〉

○ 경주 괘릉 무인석

2018년 동계 올림픽 개최지는 대한민국 강원도 평창입니다. 우리나라에서는 처음 열린 동계 올림픽으로, 각 종목별 국가대표 선수들은 자신의 기량을 뽐내기 위해 열심히 훈련에 매진했습니다. 그런데 조금 이색적인 국가대표 선수들이 언론에 소개되었습니다. 남자 아이스하키 국가대표 선수들입니다. 총 25명의 국가대표 선발인원 가운데 캐나다와 미국에서 귀화한 선수 6명이 포함되어 있었습니다. 여러 스포츠 경기를 관람하다 보면 외국에서 귀화한 한국 대표 선수를 보는 것이 이제는 낯설지 않은 일이 되었습니다.

한때 우리는 단일민족으로 구성된 나라임을 자랑스럽게 여겼습니다. 순수 혈통으로 구성된 '한민족(韓民族)'이라는 표현을 여기저기서 쉽게 찾을 수 있었지요. 그러나 순수한 혈통으로 이루어진 단일민족이란 사실 존재할 수 없습니다. 인류의 역사는 주변과 끊임없이 소통하고 교류하며 전개되어 왔기 때문입니다. 주변 지역의 사람들과 상호작용하면서 자연스럽게 다양한 문화적 배경을 지닌 사람들은 함께 공존하게 되었지요. 우리의 역사 역시 마찬가지입니다. 한반도의 역사는 수많은 주변인들로부터 영향을 받고 주변인들에게 영향을 주며 이루어졌습니다. 우리의 역사와 문화를 더욱 다채롭고 풍요롭게 만들어 준 또 다른 우리들, 한반도에 정착한 귀화인들입니다. 우리나라에 들어온 귀화인의 흔적은 아주 오래 전부터 찾아볼 수 있습니다. 귀화의 이유는 정치적 망명, 전쟁 중 투항이나 포로 생활, 정략결혼, 무역과 같은 상업상의 목적 등 다양했지요. 귀화인의 출신 지역도 가까이 중국이나 일본뿐만 아니라 몽골, 위구르, 베트남, 아랍 등 다양했습니다.

삼국의 귀화인

삼국시대 귀화인들은 대개 중국계 인물들이 많았습니다. 고구려 유적지인 덕흥리 고분의 주인 유주자사(幽州刺史) 진(鎭)이나 거문고 제작자로 유명한 왕산악(王山岳)은 중국계 인물이지요. 중국계 귀화인들은 유학 교육이나 율령의 정비 등 행정 체제 마련에 기여하여 삼국이 국

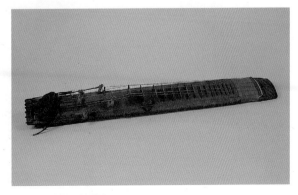

○ 거문고(국립국악원)

가 체제를 갖추어 가는데 도움을 주었습니다. 한편 삼국에는 중국계 귀화인 외에도 일본이나 서역에서 온 귀화인들도 있었습니다. 고구려의 고분 각저총의 씨름도나 안악 3호분의 수박도에는 커다란 매부리코에 턱이 긴 이국적인 인물이 등장합니다. 또 5~6세기 신라 고분에서는 여러 보석으로 장식된 검이나 유리그릇 등 다양한 서역계 물품이 출토되었고 경주 황성동 석실분에서는 뾰족 모자에 좁은 소매달린 옷을 입고 장화를 신은 소그드 인 토용(土俑)이 발견되었습니다. 경주 괘릉에는 부리부리한 눈매에 생김새가 이국적인 무인석상이 있지요. 이들은 모두 서역계 인물들입니다.

이슬람의 문헌에 따르면 무슬림들이 신라에 들어와 정착했다는 기록이 나옵니다. 삼국에 정착한 서역계 귀화인들은 다채로운 문화를 삼국에 전해주었습니다. 가야에는 인도에서 건너온 귀화인도 있었습니다. 『삼국유사(三國遺事)』의 「가락국기(駕洛國記)」에 따르면 가야 건국시조 김수로왕의 부인 허황옥은 바다 건너 인도 아유타국에서 온 공주라고 합니다. 허황옥은 김수로왕과 결혼하여 10명의 아들을 낳았고 두 아들은 어머니의 성을 따 김해 허씨가 되었습니다.

○ 각저총 씨름도(국립중앙박물관)

⊕ 경주 황성동 석실분 출토 토용(국립경주박물관) ⊕ 경주 계림로 보검과 천마총 출토 유리잔(국립중앙박물관)

고려의 귀화인

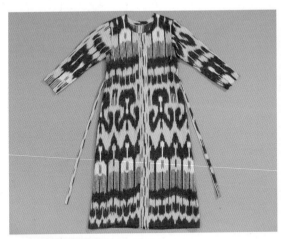

⊕ 위구르족의 전통 의상 (좌)원피스와 (우)조끼(국립중앙박물관)

　　고려시대에 들어서년 귀화 사례는 더욱 증가합니다. 광종에게 과거제의 도입을 건의한 쌍기(雙冀)는 중국 출신 귀화인이고 이성계의 휘하 장군으로 조선 개국공신이 되기도 한 이지란(李之蘭)은 원래 여진인으로 공민왕 때 귀화한 인물입니다. 원 간섭기에는 위구르 인들도 고려에 들어와 정착하게 됩니다. 홍건적의 난을 피해 고려로 들어온 경주 설씨의 시조인 설손(偰遜)이나 원나라 제국대장공주를 따라서 고려에 온 덕수 장씨의 시조 장순룡(張舜龍)이 바로 위구르계 귀화인입니다. 설손의 아들 설장수(偰長壽)는 공민왕의 지원으로 부친상(父親喪) 중임에도 과거에 응시했고 친명외교정책을 내세우며 이색과 같은 온건개화파와 뜻을 같이하였습니다. 설장수는 이후 조선 조정에서도 관직을 역임하면서 명나라와의 외교에 기여하였고 그의 아들과 조카들도 조선 초 외교 분야에서 활약을 펼쳤습니다.

고려에는 심지어 **베트남 왕족 출신 귀화인*** 도 있었습니다. 바로 화산 이씨 시조인 이용상(李龍祥)입니다. 이용상의 출신과 화산 이씨의 시조가 된 내력은 1879년 작성된 『옹진부읍지』와 1903년 화산 이씨 후손들의 청으로 세워진 **수항문*** 기적비(受降門 紀蹟碑)에 나타나 있습니다. 이용상은 베트남 리(李)왕조의 8대 왕 후에 똥(惠宗)의 숙부로, 후에 똥의 딸 찌에우 호앙(昭皇) 대에 이르러 리 왕조가 무너지고 쩐(陳) 왕조가 들어서자 쩐 씨의 탄압을 피해 국외로 탈출하다가 오늘날의 황해도 옹진현에 도착하게 되었습니다. 옹진현 진산이라는 곳에 숨어 살던 이용상은 고을에 침입한 몽골군을 격퇴시켰고 고종은 그의 공을 치하하며 수항문을 세워주고 화산군(花山君)에 봉하여 대우해 주었다고 합니다. 이용상의 이야기는 베트남 내에서도 큰 화제가 되었습니다. 1995년 화산 이씨 종친회 대표들이 베트남을 방문하자 베트남 공산당 서기장인 도무어이를 비롯한 정부 인사들이 이들을 극진히 맞이해 주기도 했지요.

조선의 귀화인

조선에서도 많은 귀화인들이 활약했습니다. 『세종실록』에 따르면 세종을 도와 과학기술의 발전에 앞장섰던 장영실은 아버지가 원나라 소주, 항주 출신이라고 기록되어 있습니다. 장영실은 중국계 귀화인인 셈이지요. 또 조선에서는 건국 초부터 국방의 안정을 위해 여진인이나 일본인을 귀화시키는 향화(向化)정책을 실시하였습니다. 교린 정책의 일환으로 귀화한 여진인이나 일본인에게 관직과 토지를 지급하기도 했습니다. 특히 임진왜란 때에 많은 일본인들이

---

*베트남 왕족 출신 귀화인 | 정선 이씨의 족보에 따르면 시조 이양혼(李陽焜) 역시 베트남 리(李) 왕조의 왕자로 중국을 거쳐 고려로 망명했다고 합니다.

*수항문 | 몽골군의 항복을 받은 문이라는 뜻입니다.

◉ 대구 녹동서원
김충선을 추모하기 위해 1794년 건립되었습니다.

조선으로 투항했습니다. 당시 조정에서는 이들을 항왜(降倭)라 불렀습니다. 항왜가 되는 이유는 일이 힘들거나 지휘관이 횡포를 부리는 경우가 대부분이었습니다. 그런데 항왜 가운데 조선의 백성이 되기를 자처하며 귀화한 인물이 있었으니, 바로 일본군 장수 사야가(沙也可)입니다. 사야가는 임진왜란 당시 선봉장이었던 가토 기요마사(加籐淸正)의 부하로 3,000여 명의 병사를 거느린 22세의 젊은 장수였습니다. 그는 목숨이 위태로운 전쟁 와중에도 늙은 어머니를 모시고 어린 아이를 챙겨 피난 가는 조선의 백성을 보며 큰 감명을 받고 귀화를 결심했습니다.

　지금 제가 귀화하려는 것은 지혜가 모자라서도, 힘이 모자라서도 아니며 용기가 없거나 무기가 날카롭지 않아서가 아닙니다. …… 아직 한 번의 싸움도 없었고 승부가 없었으니 어찌 강약을 못 이겨 화해를 청하는 것이겠습니까. 다만 저의 소원은 예의의 나라에서 성인(聖人)의 백성이 되고자 할 뿐입니다.

『모하당문집(慕夏堂文集)』

○ 김충선 신도비
녹동서원 앞에 있습니다.

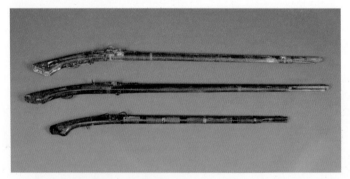

○ 조총(국립중앙박물관)

조선으로 귀화한 사야가는 곽재우의 의병과 연합하여 승리를 거둔 것을 비롯하여 여러 차례 전투에 참전해 공을 세웠습니다. 이에 사야가는 도원수 권율의 주청으로 선조로부터 성과 이름을 하사받았습니다. 김해를 본관으로 하는 김씨 성과 충성스럽고 착하다는 뜻의 이름 충선(忠善)을 하사받아 일본인 사야가는 조선인 김충선(1571~1642)이 되었습니다. 조선 정부는 김충선과 같은 일본계 귀화인들을 통해 조총의 제조법을 전수받을 수 있었습니다. 임진왜란이 끝난 후에도 김충선은 조선의 군인으로 북쪽 변방을 방어하였고 병자호란이 발발하자 66세의 나이에도 전장으로 나아갔습니다. 김충선이 살았던 대구광역시 달성군 가창면 우록리에는 그의 뜻을 기리는 녹동서원(鹿洞書院)이 건립되었습니다. 사야가가 조선에 들어온 해로부터 35년 후인 1627년에는 네덜란드 출신 벨테브레이(Jan Jansz Weltevree)가 조선 땅에 발을 디뎠습니다. 일본으로 항해하던 중 풍랑을 만나 배가 난파되어 제주도에 불시착하게 된 그는 박연(朴淵)이라는 이름을 얻고 우리나라 최초의 유럽 출신 귀화인이 되었습니다.

우리의 역사 속에 함께 해온 귀화인들. 그러나 낯선 곳에서 정착해서 살기란 쉽지 않은 일이었습니다. 조선인이 된 김충선은 자손들에게 '남의 허물을 보려 하지 말고 좋은 점을 찾아 칭찬

⊙ 김충선 장군(한국관광공사)

⊙ 박연 동상(서울, 광진 어린이대공원)

하라', '나를 해치려는 이를 미워하지 말고 나를 되돌아보라, 그들이 맞으면 나를 고치고 그들
이 틀리면 언젠가 그들은 부끄러워 하리라'라고 가르쳤습니다. 이방인으로 새로운 사회에 적응
하기 위한 김충선의 노력이었지요. 오늘날의 대한민국에도 다양한 문화적 배경을 지닌 이웃들
이 함께 어울려 살아가고 있습니다. 이러한 이웃들 또한 나와 함께 오늘의 대한민국 역사를 만
들어 가는 주인공입니다.

더 찾아보기

• 역사채널 e '영웅과 역적사이'
• 역사채널 e '최초의 귀화인, 박연'

고려

II

여주 고달사지 승탑(경기, 여주)

○ 공민왕릉(개성)

01 태조 왕건,
너무 작은거 아니예요?

〈김선우〉

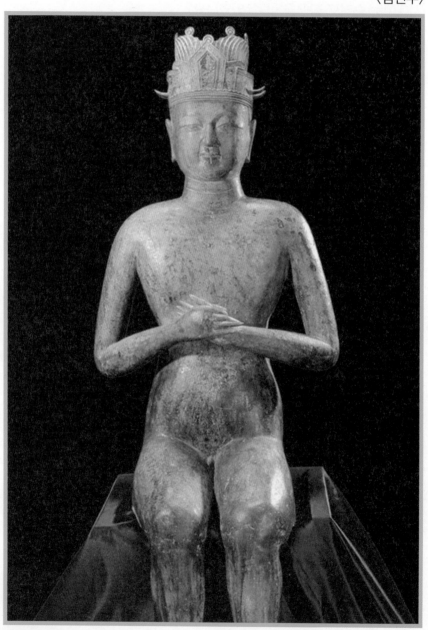

✿ 태조 왕건 동상

왕건은 호색한?

태조 왕건하면 떠오르는 것은 무엇인가요? 아마도 청소년들을 대상으로 물으면 가장 많은 대답은 많은 부인과 자녀를 두었다는 것일 겁니다. 무려 29명의 부인에 34명의 자녀를 두었기 때문이죠. 수업을 할 때 "태조 왕건이 호색한이어서 그런 것이 아니라 호족 세력을 포섭할 목적으로 정략결혼을 하였다", "대부분 왕이 된 이후에 한 결혼이다", "혼인만 했지 같이 살지 않은 **부인도 많다**"는 것*을 얘기해도 많은 학생들은 태조 왕건의 정력이 굉장히 쎌(?) 것 같은 표정을 짓습니다.

2006년 국립중앙박물관에서 '평양에서 온 국보들'이라는 제목으로 전시회를 했는데 가장 주목받은 유물은 태조 왕건의 실물 크기 동상(앉은키로 135.8cm)이었습니다. 젊은 시절 왕건의 모습을 볼 수 있다는 것은 실로 놀라운 일이었습니다. 2000년 4월부터 2002년 2월까지 방영한 사극 〈태조 왕건〉이 굉장한 인기가 있어 더 주목을 받았습니다. 그런데 왕건의 모습이 주인공인 최수종 씨의 모습과는 거리가 있어 보였습니다. 단순히 누구랑 닮지 않았다가 문제가 아니라 왕건의 동상이 나체였다는 것이 화제였습니다. 정말 실오라기 하나 걸치지 않았습니다. 옷을 걸치지 않았을 뿐만 아니라 배도 볼록하고 성기까지 표현되어 있었습니다. 더 심각한 것은 성기의 크기가 어린아이의 것만큼 작은 2cm에 불과했다는 사실입니다. 전체적인 모습은 성인의 크기인데 성기는 아이의 크기? 어떻게 된 이유일까요?

태조 왕건 동상의 발견

우선 태조 왕건 동상이 어떻게 발견되었는지부터 살펴봐야 합니다. 왕건 동상은 1992년 10월에 개성의 현릉(태조 왕건의 릉) 확장 공사를 하다가 포크레인에 의해 오른쪽 다리가 부러진 채 나왔습니다. 처음에 불상인 줄 알았는데 나중에 서울대 노명호 교수

○ **현릉(개성)**

> **부인도 많다는 것** | 29명의 부인 중 아이를 낳은 부인은 14명이다. 그 중 신명순성왕후 유씨(7명), 정덕왕후 유씨(7명), 성무 부인 박씨(5명)을 제외하면 대부분의 부인이 낳은 자녀는 1~2명에 불과합니다.

에 의해 불상이 아니라 태조 왕건 동상이라는 것이 밝혀졌습니다. 불상이라고 생각이 든 이유는 부처님처럼 귀가 길게 늘어졌고 전체적인 모습이 불상의 모습이었기 때문입니다. 그런데 불상이라고 보기에는 이상한 점들이 많이 있었고, 학자들의 연구 결과 태조 왕건의 동상임이 밝혀졌습니다.

태조 왕건 동상의 첫 번째 특징 – 황제

24개의 통천관
해와 달을 상징
하천이나 구름을 상징
무소뿔로 만든 비녀
금박산

○ 왕건 동상에 나타난 황제의 상징

태조 왕건 동상에는 3가지의 중요한 특징이 나타납니다. 첫째는 황제의 모습입니다. 황제가 쓰는 24량의 통천관을 썼습니다. 량은 내관의 가늘게 위로 솟구친 띠 형상을 말하는데 황제관에는 24개가 있습니다. 또한, 내관의 상단에는 해와 달을 형상화한 도형이 8방위에 있습니다. 이는 온 천하를 비추는 군주의 권위를 상징합니다. 지금은 2개가 손상되어 6개만 남아 있지만 4방을 넘어 8방을 비추는 고려 국왕의 신성함이 느껴집니다. 관 정면의 5각형 모양을 금박산이라고 하는데 천자나 군왕의 면류관이나 통천관 등의 문양으로 사용되는 신성한 산이라고 합니다. 금박산 안에는 매미 12마리가 새겨져 있었을 것이라고 하는데 지금은 거무튀튀하기만 합니다. 참 아쉽죠? 금박산 좌우로는 굽이치며 흐르는 하천이나 구름을 상징한 것처럼 보이는 곡선 문양이 배치되어 있습니다. 양 옆의 중간 높이에 있는 2개의 비녀 모양 뿔은 내관과 외관을 연결하는 것으로 무소뿔로 만든 비녀라고 합니다.

태조 왕건 동상이 황제의 모습을 한 것을 알 수 있는 또 다른 요소는 옥대입니다. 옥대는 옥으로 만든 허리띠이죠. 벌거벗은 몸에 허리띠를 할 수 없으니 원래 동상은 옷을 입고 있었던 것으로 보입니다. 그리고 발굴 당시에도 비단 조각이 붙어 있었다고 합니다. 북한의 발굴 보고서에

⊙ 북한에서 제작한 왕건 초상화

⊙ 영친왕 옥대(국립고궁박물관)

따르면 금동허리띠고리 1개, 옥 허리띠의 판모양 옥띠장식 13개, 물소뿔로 만든 옥띠장식붙임판 등이 발견되었다고 합니다. 이 화려한 옥 허리띠는 중국 송나라에서 대체로 천자와 태자가 사용하였다고 하니 왕건 동상은 황제의 모습임을 알 수 있습니다. 아마도 왕건의 동상은 황색 계열의 비단 옷을 입고 화려한 옥 허리띠를 매고 있었을 것입니다.

태조 왕건 동상의 두 번째 특징 – 토속신앙

두 번째는 고구려계 모습의 토속신앙 계열 동상이라는 점입니다. 그것을 가장 잘 보여주는 것은 옷을 입히는 나체상이라는 점입니다. 지금 우리는 유교와 불교문화가 자리 잡아서 이런 모습을 볼 수 없습니다. 또한, 이런 모습은 다른 근처 지역에서도 전혀 볼 수 없는 우리나라 고유의 양식입니다. 나체상에 옷을 입혀 숭배하는 모습은 고구려시대의 토속신앙에서 발견됩니다. 성모당 신상, 숭산신, 주몽의 어머니 유화의 **동신성모(東神聖母)** * 등에서 옷을 입혔던 것으로 보입니다. 이것은 왕건상이 토속적 문화를 배경으로 한 것임을 보여줍니다.

뿐만 아니라 우리나라의 전통적인 제례 방법에는 조각상을 사용하는 경우가 있었습니다. 신

---

* **동신성모(東神聖母)** │ 고구려의 시조 동명성왕의 어머니의 영혼을 신으로 이르는 말입니다.

라시대 탈해왕의 **소상***이 있었고, 원효의 소상도 있었습니다. 고구려의 동명왕과 유화도 조각상을 제사에 사용하였습니다. 태조 왕건상은 이런 전통적인 제사 방법을 따르고 있습니다.

태조 왕건 동상의 세 번째 특징 – 전륜성왕

세 번째는 불교의 **전륜성왕***의 신성함이 나타나 있습니다. 처음 발견됐을 때 북한 학자들이 불상이라고 생각한 것은 태조 왕건 동상의 전체적인 느낌이 불상과 비슷했기 때문입니다. 특히, 눈썹과 귀의 형상, 가느다란 손가락은 불상이라고 해도 과언이 아닙니다. 또한, 부처님과 전륜성왕의 몸에 표현된다는 32가지 신체적 특징이 태조 왕건 동상에도 10여 가지 나타납니다. 이는 태조 왕건을 전륜성왕과 유사한 신성한 존재로 여긴다는 뜻입니다.

그러면 구체적으로 어떤 부분이 32상에 해당되는지 살펴보도록 하죠.*

① 발바닥이 완전히 평평한 것

② 발가락이 가늘고 긴 것

③ 발모양이 특히 앞부분에서 사각형에 가깝게 직선적인 외곽선으로 된 것

④ 발뒤꿈치와 복사뼈 뒤로 양변이 평평하고 넉넉한 것

⑤ 복숭아뼈가 튀어 나오지 않고 그 주변이 고른 것

⑥ 다리에서는 무릎 아래가 근육의 뭉침이 없이 날씬한 편이며 대퇴부가 대단히 굵고 골반 쪽으로 오면서 더욱 굵어지는 형상

⑦ 손가락이 가늘고 긴 것

⑧ 평평하고 곧은 등의 형상

⑨ 상반신이 사자처럼 역삼각형으로 크고 두터운 형상

⑩ 두 어깨가 두꺼운 목에 이어지면서 평평하고 두툼한 것

***소상** | 진흙으로 만든 상을 말합니다. 『고려사』 기록에 태조 왕건 상을 소상과 주상이라고 한 부분이 혼재되어 있습니다. 그러나 소상은 주상을 착각한 것으로 보입니다. 통천관 내관을 금으로 도금 하였고 피부색 안료를 두텁게 칠했으며, 수염이나 입술 등에 색칠을 하였기 때문에 겉모습만 보고 소상이라고 잘못 판단한 것으로 여겨집니다.

***전륜성왕** | 인도신화에서 통치의 수레바퀴를 굴려, 세계를 통일·지배하는 이상적인 제왕을 의미합니다.

***노명호 교수의 책 『고려 태조 왕건의 동상』 P.133–P.140 인용**

○ 마투라 불상

○ 간다라 불상

불교에서는 32대인상을 타고난 사람은 출가하면 부처가 되고 재가하면 전륜성왕이 된다고 합니다. 태조 왕건 동상에서 이렇게나 많은 32대인상이 나타나는 것은 왕건을 전륜성왕으로 여겼다는 것을 의미합니다. 그러나 무엇보다도 눈에 확 띄는 32대인상은 성기의 표현입니다. 부처님의 성기는 마음장상(馬陰藏相)이라는 것입니다. 마음장상이란 남근(성기)이 말의 그것처럼 오므라들어 몸 안에 숨어 있는 형상인데, 전생에 자신의 몸을 삼가 색욕을 멀리함으로써 성취한 것이라고 합니다.

사실 인도에서 불상이 처음 만들어졌을 때 간다라 지방과 마투라 지방에서 거의 동시에 불상이 출현합니다. 우리가 교과서에 배운 데로 간다라 양식은 그리스의 영향을 많이 받았습니다. 마투라는 인도 고유의 양식이 나타나는데 인도 중부의 더운 지방인 이곳은 불상의 옷이 매우 얇아 속이 비치는 상으로 만들어졌습니다. 젖꼭지와 배꼽이 나타나는 불상도 있습니다. 그런데 이렇게 표현 하자니 성기의 표현이 애매한 것입니다. 크게 표현하자니 불경스럽고 작게 표현하자니 부처님의 능력을 무시하는 것 같고...

그래서 생각해 낸 것이 부처님의 성기는 말처럼 밖으로 나타나지 않는다는 것입니다. 태조 왕건의 상에 성기가 2cm인 것은 부처의 모습인 32대인상의 하나인 마음장상으로 보면 될 것입니다.

그러나 우리 조상들뿐만 아니라 많은 사람들은 성기가 큰 것을 좋아합니다. 이것은 풍요와 다산을 상징하기 때문입니다. 신라의 **지증왕***은 거시기가 1척 5촌(45cm)이라고 『삼국유사』에 기록되어 있습니다. 아직도 많은 지역에 가보면 남근석이 남아 있습니다. 태조 왕건의 동상은

---

*지증왕 │ 지증(智證)은 시호(諡號)입니다. 『삼국유사』에서는 지철로왕이라고 나와 있습니다.

◎ 순창 산동리 남근석

◎ 순창 창덕리 남근석

◎ 정읍 백암리 남근석

이러한 큰 것을 숭배하는 신앙에서 변화된 것임을 볼 수 있습니다. 즉 정신적 수양으로 내면적 신성한 힘을 갖는 군왕의 이미지가 더 중요했음을 알 수 있습니다.

　태조 왕건은 후삼국을 통일한 통일 군주입니다. 또한, 발해 유민을 받아들이고, 여진 부족들을 규합하여 거란에 맞서는 동맹을 결성하여 맹주 역할을 하였습니다. 고려가 구심점이 되는 대거란 동맹에서 고려의 군주는 강력한 권위가 필요하였고, 이러한 모습은 황제를 칭하는 것뿐만 아니라 전륜성왕의 모습으로 나타났습니다.

　역사 유적이나 유물을 볼 때 상상력이 필요할 때가 많습니다. 지금은 나신에 빛바랜 청동상이지만 황제를 상징하는 황색 옷을 입고, 황제를 상징하는 해와 달이 달린 24량 금빛 통천관을 쓰고, 화려한 옥대를 맨, 진짜 사람처럼 피부색을 입힌 왕건의 동상이 화려한 어탑에 앉아 있는 모습을 상상해 보면 황제 국가 고려 군주의 당당함이 느껴질 겁니다.

더 찾아보기

・MBC 뉴스 「고려 태조 왕건상 등 북한 국보급 문화재 90점 서울에 들어와」

02 고려 왕실은 남매와 결혼했나요?

<윤관집>

고려 왕실 가계도(태조-현종)

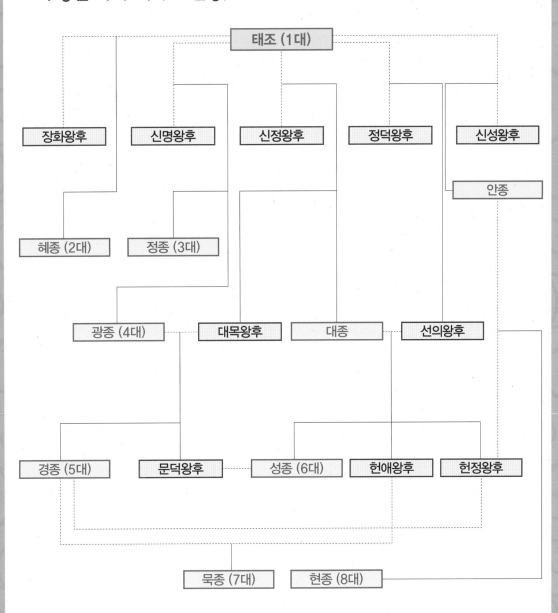

예전에 커다란 인기를 얻었던 드라마 '천추태후'나 '보보경심' 등 고려시대를 배경으로 하는 사극을 보다보면 현재 우리 상식으로는 이해하기 힘든 장면들이 나옵니다. 바로 고려 왕실의 혼인관계입니다. 드라마에서 묘사가 되었듯이 고려시대의 혼인풍속은 현재 우리와 많이 달랐습니다. 특히, 고려전기 왕실에서 근친혼이 유행했다는 사실을 모르는 사람들이 고려 왕실을 주제로 한 드라마를 보았을 때 적지 않은 충격을 받게 될 것입니다.

신라와 고려의 근친혼

진흥왕(신라 24대) 가계도

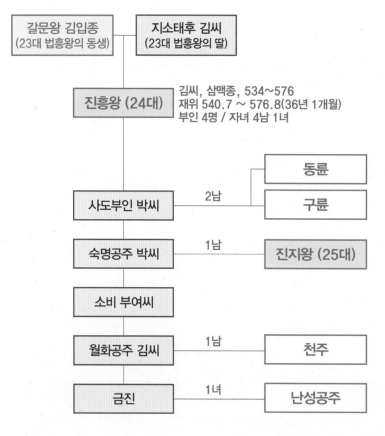

고려는 고구려를 계승한 나라이지만 각종 풍속은 신라의 영향을 많이 받았습니다. 그래서 고려 근친혼 풍속을 이해하려면 신라 시대의 근친혼을 먼저 파악해 보는 것이 필요할 것입니다.

신라의 대표적인 근친혼 사례로 진흥왕 집안을 뽑을 수 있습니다. 법흥왕의 딸 지소부인은 법흥왕의 동생 입종 갈문왕*과 혼인을 했고 (지소 부인은 자신의 삼촌과 혼인을 한 것이지요.) 그 사이에서 진흥왕과 만호부인,

---

*갈문왕 | 왕은 아니지만 왕의 지위에 버금가는 사람입니다. 신라가 중앙집권 국가로 발전하는 과정에서 탄생한 것으로 시간이 지날수록 존재감이 약해졌습니다.

숙흘종이 태어납니다. 진흥왕의 아들 동륜태자는 다시 자신의 고모인 만호부인과 혼인을 하는 복잡한 가계도를 형성하게 됩니다. 이러한 유형의 혼인관계는 신라시대 내내 유지되었으며 다시 고려로 계승하게 되는 것입니다.

고려의 광종 같은 경우는 부인이 두 명이 있었는데 첫째 부인은 태조의 딸(자신의 이복 여동생)이었고 둘째 부인은 혜종의 딸(자신의 조카)이었습니다. 신라와 같은 유형의 혼인관계를 시행하자 현종의 가계도는 어이가 없는 결과를 만들어 버리고 말았습니다. 현종이 태조의 손녀가 낳은 손자가 되어버린 것입니다. 즉, 현종의 어머니 헌정왕후는 태조의 손녀였고 현종의 아버지 안종은 태조의 아들이었기에 이러한 가계도가 탄생된 것입니다.

근친혼의 목적

신라의 관등과 옷색깔(복색)

등급	관등명	공복색	진골	6두품	5두품	4두품
1등급	이벌찬	자 색 (紫色)				
2등급	이 찬					
3등급	잡 찬					
4등급	파진찬					
5등급	대아찬					
6등급	아 찬	비 색 (緋色)				
7등급	일길찬					
8등급	사 찬					
9등급	급벌찬					
10등급	대나마	청 색 (靑色)				
11등급	나 마					
12등급	대 사	황 색 (黃色)				
13등급	사 지					
14등급	길 사					
15등급	대 오					
16등급	소 오					
17등급	조 위					
등급	관등명		진 골	6두품	5두품	4두품
관등			골품			

◐ 골품제

그렇다면 왜 이러한 근친혼이 유행하였을까요?

신라의 경우는 신분제인 골품제에서 그 연관성을 찾을 수 있습니다. 골품제는 신라인들의 삶 전반을 통제하는 제도로 매우 폐쇄적인 신분제였습니다. 골품에 따라 관등 승진의 한계, 집의 크기, 담장 높이, 수레의 크기, 복장의 차이 등 정말 다양한 분야에서 규제를 하고 있었습니다. 진골만이 모든 혜택을 제약 없이 누릴 수 있는 제도였던 것입니다. 이러다 보니 진골들은 자신들이 갖고 있는 각종 특권을 유지하고 싶어졌고 다른 신분과 나누어 갖는 것을 꺼려해 자신들끼리 혼인관계를 유지하게 된 것입니다. 이러한 의도는 왕실에서 더욱더 두드러지게 나타나면서 결국 극단적인 근친혼의 모습으로 표면화되었습니다. 신라 왕실이 진골과의 차별성을 두기 위해 성골로 칭한 모습이 이와 같은 사례로 볼 수 있겠습니다.

🔴 고려시대 여성의 지위를 보여주는 염경애 묘지명(국립중앙박물관)

고려 왕실의 근친혼 목적도 신라와 크게 다르지 않았습니다. 그러나 그 배경에는 약간의 차이가 있습니다. 고려는 개국 초 호족들의 연합정권 성격이 강했습니다. 태조 자신도 송악 출신의 호족이었지요. 왕권 자체가 강하지 못했던 시기였던 것입니다. 이러한 불안한 상황에서 왕은 자연스럽게 호족들의 눈치를 살필 수밖에 없었고 정국을 안정화 시킬 필요성이 있었습니다. 그리하여 태조는 지방의 유력한 호족들을 자신의 편으로 끌어들이기 위하여 그들의 딸과 정책적으로 혼인을 하였습니다.

그 결과 태조의 부인은 29명이나 되었으며 그 부인들 사이에서 총 34남매를 두게 됩니다. 태조 자신은 어쩔 수 없이 호족들의 딸과 혼인을 했지만 자신의 자식들에게는 근친혼을 시행하게 됩니다. 신라 왕실의 경우와 마찬가지로 권력분산을 막기 위한 정책이 시행되었던 것입니다. 고려 왕실은 궁극적으로 왕실의 권위를 높이고 왕권을 강화할 필요성이 있는 시점에 와 있었습니다. 이를 위해서는 호족이 왕실의 외척이 되어 왕실의 권력을 나누어 갖는 것보다는 근친혼을 통하여 권력이 분산되는 것을 막아야 했기 때문입니다.

고려시대 여성의 지위도 근친혼에 영향을 끼쳤다고 할 수 있습니다. 고려시대 여성의 지위는 조선시대에 비하면 상대적으로 높았다는 평가가 주류를 이루고 있습니다. 여성이 호주가 될 수 있었고 일부일처제 사회였으며 제사도 자식들이 돌아가면서 지내는 사회였습니다. 이 외에도 여성의 지위가 높았다는 여러 가지 사례가 있지만 여기서 주목해야 할 부분은 **남녀 구분 없이 재산이 균분 상속된다는 점***입니다. 왕실의 여자가 왕실이 아닌 다른 집안으로 혼인을 가게 될 경우 왕실 재산의 축소를 의미하기 때문에 근친혼을 실시했을 가능성도 충분히 있다고 하겠습니다.

고려시대 근친혼은 왕실에만 국한된 것은 아니었습니다. 귀족들을 포함하여 광범위하게 행해지고 있었던 것으로 추측됩니다. 그 근거는 문종, 선종, 숙종 재위 시절 근친혼과 관련된 금고령을 내려 근친혼으로 태어난 자식은 관리로 등용하지 않겠다는 입장을 밝힌 데서 알 수 있습니다. 그러나 이러한 금고령을 내렸음에도 잘 지켜지지 않았던 것으로 추측됩니다. 당시 사람들은 근친혼이 자연스러운 혼인 문화 중 하나인 것으로 인식했던 것으로 보이기 때문입니다.

사라진 근친혼

고려가 근친혼에서 벗어나기 시작한 것은 고려 후기 몽골과의 전쟁 후 원의 간섭을 받기 시작하면서부터인 것으로 파악됩니다. 중국의 입장에서 볼 때 근친혼은 야만스러운 혼인 문화로 인식을 했으며 간접적으로나마 고려의 내정에 간섭을 시작하면서 근친혼을 금지하도록 압력을 행사했을 것으로 여겨지고 있습니다. 그 대표적인 근거가 충선왕의 즉위 교서입니다.

이제로부터 만약 종친으로서 동성(同姓)에 장가드는 자는 성지(聖旨, 원 세조의 뜻)를 위배한 자로써 논단할 것이니 마땅히 누대 재상의 딸을 취하여 부인을 삼을 것이며 재상의 아들은 왕족의 딸과 혼인함을 허락할 것이다.

-『고려사』 세가 권33-

충선왕의 즉위교서는 왕실 내 근친혼을 금지하고 있고 이는 원나라 세조의 명임을 강조하면서 왕실 내 근친혼을 하지 못하도록 못 박고 있습니다. 왕실부터 근친혼에서 탈피하자 서서히 귀족

***남녀 구분 없이 재산이 균분 상속된다는 점** | 고려 고종때 관료인 손변의 기록에 따르면 지방의 원님으로 있을 때 어느 남매에게 부모의 재산을 똑같이 나누어 갖도록 재판을 하였습니다.

들을 포함한 사회 전반에 그 영향이 확대되었을 것입니다. 조선시대에 가서는 근친혼은 성리학적인 사회질서 운영 원리에 따라 금수와 같은 풍속으로 인식되면서 우리나라에서는 사실상 완전히 자취를 감추게 되고 말았습니다.

이제 현 시대를 살고 있는 우리는 드라마나 영화에서 고려 시대의 근친혼 모습을 볼 때 야만스럽다는 시각을 바꿔야 할 것입니다. 여기서 야만스럽다는 시각을 바꾸라는 것은 과거 역사에서 이루어졌던 근친혼 문화를 이해하라는 뜻임을 알아야 합니다. 현재 생물학적으로나 윤리적으로 봤을 때 근친혼이 비정상적인 혼인관계인 것은 사실입니다. 이 글의 목적은 당시 근친혼이 탄생하게 된 사회 · 경제적 배경을 이해하고 그 당시에는 하나의 자연스러운 문화였다는 것을 알리기 위한 것입니다. 역사적으로 볼 때 근친혼은 우리나라에서만 있는 것이 아니었고 유럽의 왕실들 대부분이 근친혼이 있었으며 유럽을 호령했던 주걱턱 가문 '합스부르크 가문'은 철저하게 근친혼을 유지하였습니다. 과거 한 나라를 다스렸던 지배자들은 자신의 권력을 누군가 가져가는 것을 원치 않고 자신이 차지한 권력을 자신의 집안이 독점하고자 했습니다. 그 결과 탄생한 것이 근친혼이고 우리는 그저 그 시대를 이해해 주는 것만으로도 충분할 것입니다.

더 찾아보기

· 별별한국사 – 고려시대 여성의 지위

03 우리나라 성씨의 90%는 가짜인가요?

〈윤관집〉

❂ 신라 단양적성비(충북, 단양)

일반적으로 성씨는 피를 나눈 집단의 칭호로 그 집단의 혈통을 지속적으로 나타내어 주는 기능을 하고 본관은 본적지(출신지) 또는 본적지의 행정구역을 뜻합니다. 현재 우리나라 사람들은 모두 성씨와 본관을 가지고 있습니다. 그리고 모두 자신의 집안을 뼈대 있는 가문으로 자랑스럽게 여기고 있습니다. 글을 읽고 있는 여러분도 어렸을 때 할아버지나 집안 어른들에게 남다른 집안의 배경을 들어 보셨던 경험이 있을 것입니다. 그런데 정말 그럴까요?

사실 옛날 우리나라 사람들이 모두 성씨와 본관을 가진 것은 아니었습니다. 성씨와 본관을 갖고 있는 사람들은 소수의 지배층에 불과했습니다. 삼국 시대 · 고려 시대 · 조선 시대를 살펴보면 전체 인구에서 지배층의 비율이 과연 얼마나 되었을까요? 조선후기에 가면 일반 상민들까지 광범위하게 성씨를 사용한 흔적은 보이지만 지금처럼 모든 사람이 성씨와 본관을 갖고 양반 행세를 한 것은 아니었습니다.

현재와 같은 성씨와 본관 체제가 탄생한 것은 일제에 의하여 1909년 새로운 민적법이 시행되면서 법제적으로 모든 사람이 성씨와 본관을 가질 수 있게 되었을 때부터입니다. 그러다 보니 당시 사람들이 새롭게 성씨를 가지게 되면서 유력하거나 유명한 성씨를 선택하게 되는 현상이 나타나게 됩니다. 이는 우리나라가 2000년 당시 인구주택 총 조사를 실시했을 때 성씨가 총 286개로 나타나고 있고 인구의 절반 이상이 김씨 · 이씨 · 박씨 · 최씨 · 정씨를 성씨로 사용하고 있는 모습으로 알 수 있습니다. 이러한 현상은 같은 동아시아 문화권에 속한 중국과 일본과는 다른 양상을 보이고 있습니다. 중국의 경우는 약 3,000개 정도의 성씨가 있으며 일본의 경우는 10만 개가 넘는 성씨가 존재하고 있는 것입니다. 즉, 중국, 일본과는 다른 형태로 존재하고 있는 우리나라의 성씨는 단순히 김씨라고 칭하면 가계 계통의 구분이 어려워 반드시 성씨와 함께 본관을 함께 써야 구분이 가능하다고 할 수 있겠습니다.

고려 이전의 성씨 사용

우리나라 사람들은 언제부터 성씨를 사용했을까요? 성씨의 기원은 적어도 삼국시대까지 올라가나 성씨의 사용 흔적은 많지 않습니다. 현재 남아 있는 사료를 살펴보면 삼국시대에 성씨를 가진 사람은 왕족과 중앙의 귀족에 한정되었을 것을 추측됩니다. 예를 들어 삼국의 왕족 성씨인 고구려의 고씨, 백제의 부여씨와 중앙귀족인 대성팔족(사씨, 연씨, 협씨, 해씨, 진씨, 국

사택지적비(국립부여박물관)

씨, 목씨, 백씨), 신라의 김씨와 6부의 성씨(이씨, 최씨, 정씨, 손씨, 배씨, 설씨)가 있습니다. 더구나, 신라 단양적성비를 살펴보면 이사부와 무력은 성씨가 김씨임에도 성씨는 생략하고 자신의 출신부 이름을 밝히고 있습니다. 이러한 표기 방법은 신라 **금석문***에서 나타나는 일반적인 현상으로 이는 성씨를 사용하는 친족집단의 규모가 적어 굳이 성씨를 밝힐 필요가 없었을 수도 있을 것이고 성씨에 의한 신분 구별보다는 골품을 더 중요하게 여겼기 때문일 것으로 추측됩니다.

그러나, 통일신라 말기에 이르면 성씨가 널리 사용될 수 있는 여건이 형성됩니다. 그 첫째가 당과의 관계입니다. 통일신라 말기에 당과의 관계는 공적인 외교관계를 뛰어넘어 **사무역***의 단계까지 발전하였고 유학생, 유학승, 무역상들의 왕래가 빈번하게 발생하게 됩니다. 추측하건대, 이들이 당에서 유학생으로서 관리로 활동을 하거나 그들과의 교역을 위해서는 반드시 성씨의 사용이 뒷받침되었을 것입니다.

당(항)성(경기 화성)

둘째로, 진골귀족들의 왕위쟁탈전에 따른 자기 분열과 지방 세력의 성장을 들 수 있습니다. 통일신라 말기에 와서는 진골귀족들의 왕위쟁탈전이 격화됨에 따라 중앙귀족들이 분열하거나 중앙귀족과 연관 있던 지방의 친족들이 분립되면서 성씨가 분열되

***금석문** | 쇠붙이나 돌붙이에 새긴 글씨 또는 그림으로 그 당시 사람의 손에 의하여 직접 이루어진 것이므로 가장 정확하고 진실한 역사적 자료가 됩니다.

***사무역** | 국가가 주도하지 않고 역관이나 상인들 사이에서 행해지던 무역입니다.

고 성씨 안에서도 여러 파로 분열되게 됩니다. 아울러 지방에서 호족이 성장하면서 이들이 성씨를 사용하게 됩니다. 예를 들어 송악의 호족이자 후삼국을 통일한 왕건의 집안은 성씨가 왕씨가 아니었을 가능성이 높은 것으로 파악됩니다. 성씨는 없고 이름이 왕건이었던 것입니다. 이는 왕건의 아버지가 용건이고 할아버지가 작제건이었다는 기록에서 알 수 있습니다. 훗날 왕건이 출세하면서 자신의 이름 첫 글자인 왕을 성씨로 사용했을 것이라는 것이 많은 사람들의 의견입니다.

그렇다면 고려시대 이전에 본관도 사용했을까요? 그렇지 않았을 가능성이 매우 높다고 하겠습니다. 왜냐하면 성씨를 사용한 사람들의 수가 극히 일부였기 때문에 굳이 자신의 출신지인 본관을 사용하지 않더라도 성씨만으로 구분이 가능했을 것이기 때문입니다.

성씨와 본관체제의 확립

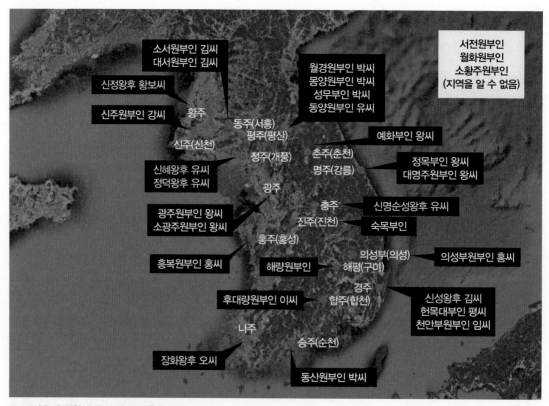

◎ 고려초 유력한 호족의 딸과 결혼한 왕건

그럼 성씨와 함께 본관이 사용된 것은 언제부터일까요? 고려시대부터 법제화되었을 것이라는

○ 안동권씨 성화보(1476, 가장 오래된 족보)

것이 대다수 역사학자들의 의견입니다. 여기서 먼저 주목해야 할 시점이 바로 태조 왕건의 토성분정입니다. 태조는 23년 (940)에 후삼국을 통일한 다음 토성을 분정함으로써 논공행상을 겸한 신분제의 재편성과 효율적인 지방통치체제를 확립합니다. 즉, 토성을 분정 했다는 것은 지방을 다스리고 있는 호족과 같은 유력한 계층에게 성씨를 나누어주는 형식으로 후삼국 통일의 공을 치하하였고 그 지역에서의 기득권을 인정해 주었다는 것으로 이해할 수 있습니다. 이때부터 성씨를 갖게되는 지배층의 수가 급격히 늘어난 것으로 추측됩니다. 아울러 광종대에 가면 과거제가 실시됩니다. 과거제가 실시되면서 응시자의 신원 확인이 필요해지면서 성씨를 사용하는 수는 더 늘어났을 것입니다.

그리고 당시 성씨를 가지게 된 사람들 대다수는 중국의 유명한 성씨를 가지거나 삼국시대부터 존재했던 성씨를 갖게 되는 경우가 많았습니다. 이는 앞서 언급한 1909년 새로운 민적법 시행과 관련된 현상과 마찬가지로 특정한 소수의 성씨를 선호하는 결과를 초래합니다. 이에 따라 성씨만으로는 같은 혈족인지 구분이 어렵게 되자 자신의 출신지를 성씨 앞에 붙여서 표기하는 본관이 쓰이게 됩니다. 예를 들면 핏줄이 다른 김씨의 종류가 늘어나자 본관에 해당하는 경주, 김해, 광산 등 자신의 출신지를 김씨 앞에 표기하면서 구분하였던 것입니다. 이러한 체제는 고려시대 이후 지금까지 계속 이어져 내려오고 있습니다.

중국과 일본의 경우는 거주지에 따라 성씨가 사용되었고 성씨를 본관처럼 사용한 것으로 파악됩니다. 특히, 일본은 거주지가 바뀜에 따라 성씨도 바뀌어 우리나라와는 다른 양상을 보여줍니다. 우리나라의 성씨와 본관에 대한 내용은 유형원이 쓴 것으로 알려진 『동국여지지』,

『수정 동국여지지』 범례의 기록에 잘 나와 있습니다. 유형원은 풍속이 문벌을 중시하여 사족(양반)들은 반드시 조상의 출신지를 본관으로 삼으며, 비록 자손들이 흩어져 100대가 지나도 본관을 바꾸지 않는다고 하였습니다. 본관과 성씨를 대하는 우리나라만의 독특한 문화의식이라 볼 수 있습니다. 중국과 일본과는 다른 우리나라만의 이 독특한 의식은 모든 국민이 성씨와 본관을 갖고 있는 현재에도 그 영향력이 적지 않습니다. 대한민국 국민으로 자신의 신분을 밝힐 때 어디에서든지 성씨와 본관을 요구하고 있는 것입니다. 삶을 살아가는 데 자신에게 좀 더 도움을 줄 수 있는 성씨와 본관을 갖고 싶어 했던 우리 조상들의 욕망이 투영된 것이 현재 우리가 가지고 있는 성씨와 본관이 아닐까 합니다. 여러분들의 성씨와 본관은 바로 여러분 조상들이 나름대로 고민했던 흔적일 것입니다.

더 찾아보기

• 몰랐던 성씨 이야기 – 한국인 90%가 가짜 성, 가짜 족보

04 고려시대에는 승려도 장군을 할 수 있었나요?

〈명재림〉

⚙ 충주성 대몽항쟁 승전 기념탑

승병장 김윤후

1232년, 몽골의 2차 침입이 시작됩니다. 몽골은 서경을 거쳐 개경을 함락하고, 남경(서울)을 정복하고도 멈추지 않고 남쪽으로 진군합니다. 거침 없던 몽골군은 12월 16일 용인에서 갑자기 철군을 합니다. 막강한 몽골군을 물러나게 한 사람은 누구였을까요?

용인 처인성에서 당대 최강의 몽골부대를 무찌른 사람은 김윤후입니다.

김윤후는 백현원(현 평택시 장안동 일대)의 승려였습니다. 몽골이 침입했을 때, 용인에 있는 처인성으로 피신했다가 처인 부곡민들을 지휘하여 몽골 장군 살리타이(撒禮塔)를 사살하는 공을 세운 승려 장수입니다. 승려의 신분으로 중앙 정부로부터 차별 받던 부곡민을 독려하여 당시 세계 최강 부대라는 몽골군을 물리쳤습니다. 더욱이 처인성은 둘레가 400m 정도 밖에 안되는 축구장 크기만한 작은 토성입니다.

몽골군이 용인 처인성을 공격할 때 몽골군 사령관 살리타이가 화살에 맞아 죽자 몽골군은 고려에서 물러나게 됩니다.

고려는 이런 김윤후에게 큰 상을 내립니다. 무인으로 최고 관직인 정 3품 상장군을 내렸습니다. 그러나 김윤후는 고려 정부의 관직 하사를 거절합니다.

전투할 때 나는 활과 화살을 가지고 있지 않았는데 어찌 함부로 무거운 상을 받을 수 있는가! 하고 사양하였다.

『고려사』 열전 김윤후

○ 상:처인성 승첩기념비와 하:처인성 벽(경기, 용인)

이런 기록으로 살리타이를 누가 죽였는가에 대한 논쟁은 있습니다. 그러나 『원사』 고려전이나 『고려사』 열전 김윤후에 '**살리타이는 처인성에서 김윤후가 쏜 화살에 죽었다**'*고 기록하고 있습니다.

몽골군에 대항하여 목숨을 걸고 싸운 처인 부곡민들의 활약으로 처인 부곡은 처인현으로 지명이 승격되었습니다. 주현, 속현, 향·부곡·소의 지방제도를 볼 때 처인 부곡에서 처인 주현으로 승격한 것은 파격적인 일이었습니다. 물론 김윤후도 섭랑장의 관직을 받습니다.

이후 김윤후의 기록은 21년이 지나 다시 등장합니다.

1253년 몽골은 5번째 고려를 침공합니다. 이번에는 칭기즈칸의 조카인 예쿠 군대가 공격을 했습니다. 석성 공격 무기인

◔ 운제(경북, 문경)

◔ 충주 남산성(문화재청)

***살리타이는 처인성에서 김윤후가 쏜 화살에 죽었다** ｜ 몽고 장군 살리타이가 성을 공격하자 김윤후가 살리타이를 활로 쏘아 죽였습니다. 『고려사』 열전 김윤후

운제를 비롯한 강력한 무기들을 가지고 몽골은 여진족과 거란족까지 동원해서 고려를 침입했습니다.

예쿠의 군대가 충주에 이르렀을 때 김윤후는 당시 정 6품 낭장 관직으로 충주산성 방호별감이라는 직에 있었습니다.

몽골의 강력한 군대에 맞서 싸우던 충주지역 군관민들은 성이 포위된 채 70일을 싸웁니다. 점점 식량이 떨어져가고 백성들도 지쳐갈 때 김윤후는 충주성에 있는 노비문서를 불태웠습니다.

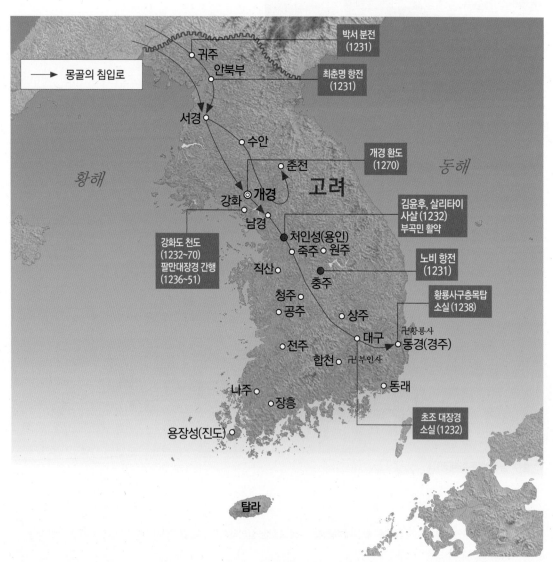

● 몽골의 침입 경로(장득진 외, 『참 한국사 이야기』 권2 고려, 주류성, 2018,에서 전재).

만약 모든 힘을 다해 싸운다면 귀천을 따지지 않고 관작을 줄 것이다. 모두 나를 믿고 따르라.

『고려사』 열전 김윤후

결과는 어땠을까요?

충주성 전투에서 승리한 것만 아니라 인근 다인철소에서도 승리를 합니다. 이후 충주는 국원경으로 승격됩니다.

김윤후의 공을 따지자면 임진왜란 때에 권율 장군과 견줄 만한 업적임에도 역사 속에서 김윤후의 평가를 찾기 어려운 이유가 무엇일까요? 몽골에 항복한 고려는 몽골 장수를 죽인 김윤후를 높게 평가할 수 없었습니다. 또한 고려의 뒤를 이어 건국된 조선이 성리학 국가로 발전하여 숭유억불 정책을 펼친 이유도 있습니다.

승려가 무예를 수련한 이유

승려가 전쟁에 참여하여 공을 세운다는 것이 이상하지 않나요? 불교에서는 살생을 금하는데 말입니다. 김윤후가 승려의 신분으로도 무예에 출중할 수 있었던 이유가 무엇일까요?

우리나라 사찰은 산속에 있으면서 많은 문화재와 보물을 소장하고 있습니다. 전쟁이 일어나지 않는 평상시에도 도적들로부터 절을 지키기 위한 군사 집단이 필요했습니다. 통일신라 말기에 민란이 늘어나면서 도적이 창궐하자 승려들은 절을 방어하기 위해 스스로 무장하고 훈련을 했습니다. 후고구려를 건국한 궁예가 대표적인 이런 승병 집단이었을 것으로 추측하고 있습니다.

고려 시대에 들어서면서 불교가 장려되고 사찰은 더 많이 세워지면서 승려의 숫자도 늘어나고 사찰의 기능도 커졌습니다. 사찰과 고려 중앙 정부와의 관계가 정치적·경제적인 면에서 긴밀하게 발전해 나갔습니다. 중앙 정부의 보호 아래 성장한 사찰들은 전란이 일어났을 때나 국난 극복에 힘을 보태는 역할을 담당하게 되었습니다.

대표적인 사례가 1104년(숙종 9) 윤관(尹瓘)이 만든 별무반의 항마군입니다. 별무반은 특별군대로서 기병을 중심으로 구성된 신기군(神騎軍), 보병으로 구성된 신보군(神步軍), 승려를 중심으로 항마군(降魔軍), 그리고 특수병으로 구성하였는데, 여기서 항마군은 불교의 힘으로 악마를 항복시키겠다는 의미로 승려를 뽑아 편입시킨 승병군입니다.

승병! 미워도 다시 한 번

　중앙 정부의 보호아래 힘을 키운 사찰들은 거대한 이익 집단으로 그 기능이 변질됩니다. 사찰의 규모가 커지고 소유한 토지와 승려의 숫자가 늘어나면서 권력을 가진 중앙 정치 세력과 대립하기도 하였고, 문벌정치에서 무신정치로 변하면서 **승병들의 반란***이 자주 일어났습니다. 또한 잦은 노역과 군대 징발에 불만을 품고 스스로 난을 일으키기도 합니다.

　고려 말기에 이르러 사찰은 대농장을 경영하고, 고리대업을 하면서 막대한 재산을 소유하는 등 사회 질서를 어지럽혔습니다. 승려들이 본연의 모습에서 벗어나게 된 것이지요. 그러나 고려 승병의 모습이 조선시대까지 유지되면서 임진왜란에 다시 국가를 구하는 승병으로 등장합니다.

***승병들의 반란** ｜ 흥왕사(興王寺)·홍원사(弘圓寺)·경복사(景福寺)·왕륜사(王輪寺)·안양사(安養寺)·수리사(修理寺) 등의 승려로 종군한 자들이 최충헌을 죽이려고 거짓으로 꾀하여 거짓으로 달아나는 척하고 새벽에 선의문(宣義門) 밖에 이르러 급히 불러 말하기를 '거란의 군사들이 벌써 쳐들어왔다.' 하였다. 문지기들이 이 말에도 문을 열지 않자 중들은 북을 치며 문을 부수고 들어갔다. 『고려사』 제 129권

더 찾아보기

　동 시대 검색해 볼 인물
　・홍원복

05 우리나라 최고
애처가는 누구인가요?

〈신지영〉

○ 공민왕과 노국공주 초상

○ 공민왕과 노국공주 릉(개성)

한 남자가 있습니다. 남자에게는 어려운 시기를 함께 지낸 사랑하는 부인이 있었습니다. 두 사람은 결혼한 지 16년 만에 소중한 첫 아이를 가지게 되었습니다. 남자는 자신이 세상에서 가장 행복한 사람이라고 생각했을지도 모르겠습니다. 그러나 행복은 오래 가지 못했습니다. 남자의 부인이 아이를 낳다가 그만 뱃속 아이와 함께 세상을 떠나고 만 것입니다. 사랑하는 부인과 아이를 한꺼번에 잃은 남자는 깊은 슬픔에 빠졌습니다. 남자는 먼저 떠난 부인을 그리워하며 부인 초상화를 바라보며 자주 눈물을 흘렸습니다.

여기 또 한 명의 남자가 있습니다. 한 나라를 이끄는 왕이었던 그는 백성들을 동원하여 큰 건물을 짓는 공사를 시작했습니다. 무리하게 진행된 공사는 백성들을 힘들게 했습니다. 건물을 짓는 데 필요한 나무를 운반하다가 나무에 깔려 죽는 백성들이 발생했고 참다 못해 도망치는 사람들도 많이 생겨났습니다. 10년 가까이 지속된 공사에 백성들은 고통을 호소하면서 공사를 그만두기를 원했습니다. 하지만 왕은 계속해서 화려하고 커다란 건물을 짓는 데 백성들을 동원했습니다.

그 남자, 공민왕

두 남자의 이야기를 읽고 어떤 생각이 드시나요? 사실 두 남자는 같은 인물입니다. 바로 고려의 31대 왕 공민왕이지요. 역사 교과서 속의 공민왕은 원의 간섭에서 벗어나 고려의 자주성을 되찾고 다양한 개혁 정책을 실시한 왕으로 등장합니다. 고려를 바르게 세우기 위해 노력했던 공민왕이 백성들의 고통에도 불구하고 무리한 공사를 지속한 것은 바로 사랑하는 부인 노국공주 때문이었습니다. 『고려사』에서는 공민왕에 대해 이렇게 평가하고 있습니다.

● 공민왕과 노국공주 초상

왕이 즉위하기 이전에는 총명하고 어질고 덕이 많아 백성들의 기대를 모았고, 즉위한 후에는 온갖 힘을 다해 올바른 정치를 하여 온 나라가 크게 기뻐하면서 태평성대가 올 것을 기대했다. 그러나 노국공주가 죽은 후 슬픔이 지나쳐 모든 일에 뜻을 잃고 정치를 신돈에게 맡기는 바람에 현명한 신하들이 죽거나 내쫓겼으며 쓸 데 없는 공사를 일으켜 백성의 원망을 샀다. 사악한 무뢰배들을 가까이 해 음탕하고 더러운 짓을 함부로 하였고 자주 술주정을 부리며 신하들을 마구 때리기도 했다.

『고려사』

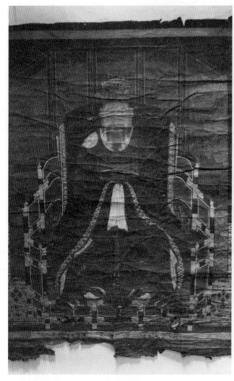

◉ 공민왕 영정(국립중앙박물관)
  화장사(華藏寺)라는 절에 보관되었던 공민왕의 초상으로 현재는 일제강점기에 촬영한 사진만 남아있고 원본의 행방은 알 수 없는 상황입니다.

◉ 천산대렵도(국립중앙박물관)
  공민왕이 그린 것으로 전해지는 그림입니다.

왕이 되기 전부터 사람들의 기대를 모았던 공민왕은 실제 왕위에 오른 이후 나라와 백성을 위한 정치를 펴 나갔습니다. '공민왕의 개혁정책'은 수능이나 학교 시험에서 자주 만날 수 있는 문제이지요. 고려의 희망이었던 공민왕이 부인 노국공주의 죽음 이후 전과는 다른 모습을 보이게 됩니다. 공민왕이 그토록 사랑했던 노국공주는 어떤 사람이었을까요?

그 여자, 노국공주

30여 년 간 이어진 전쟁 끝에 고려의 항복을 받아낸 몽골은 1271년 원(元)이라는 이름의 나라를 세웠습니다. 고려와 원은 관계를 더욱 가깝게 하기 위해 고려의 왕자와 원의 공주를 혼인시키기로 하였습니다. 1274년 고려의 충렬왕이 원 황제 쿠빌라이의 딸 제국대장공주와 혼인한 것을 시작으로 이후 충선왕, 충숙왕, 충혜왕이 원의 공주와 혼인했습니다. 노국공주는 고려 왕실과 혼인한 마지막 원 공주였습니다. 정략결혼으로 고려에 오게 된 원 공주들은 공주 신분을 내세워 벼슬을 청탁하거나 자신의 경제적 이익을 위해 고려 백성들을 수탈하기도 했습니다. 심지어 제국대장공주는 남편인 충렬왕을 때리는 일도 있었습니다. 원

⟳ 충렬왕비 제국대장공주 무덤의 석인(石人)(국립중앙박물관)

의 간섭 아래 놓여있던 고려는 이러한 공주의 횡포를 제대로 막을 수가 없었습니다. 그러나 노국공주는 달랐습니다.

두 사람은 공민왕이 21살되던 해 원나라의 수도인 연경(오늘날의 베이징)에서 혼인했습니다. 당시 공민왕은 두 번이나 왕위 계승에 실패한 상황이었습니다. 고려의 왕자이긴 하지만 이전 고려왕들이 왕이거나 세자의 신분으로 원 공주들과 혼인했던 것에 비교하면 공민왕의 처지는 그리 좋지 않았습니다. 노국공주 또한 원 황실의 사람이기는 하지만 그녀의 집안도 원 조정 내에서 세력이 크지는 않았습니다. 두 사람의 결혼은 이전 사례보다 정치적 성격이 적어 보입니다. 어쩌면 두 사람의 결혼은 공민왕이 자신을 이해해 줄 수 있는 사람으로 노국공주를 선택한, 일종의 연애결혼이 아니었을까요? 이렇게 생각하면 두 사람의 사이가 매우 좋았던 사실을 쉽게 이해할 수 있습니다.

기쁠 때나 슬플 때나 당신과 함께

○ 델(몽골 전통 남성 의상)(국립중앙박물관)

혼인한 지 2년 후, 왕이 되어 돌아온 공민왕은 즉위하자마자 원나라식 옷과 머리 모양이 아니라 고려식 옷과 머리 모양을 하는 것을 시작으로 원의 간섭으로부터 벗어나기 위한 개혁 정책을 추진했습니다. 그런 공민왕의 곁엔 노국공주가 함께 있었습니다. 공민왕이 원의 간섭으로부터 벗어나려는 정책을 추진할 때 노국공주는 왕에게 반대하지 않았습니다. 중국에서 홍건적이 쳐들어와 안동까지 피란을 가야 했을 때도 두 사람은 함께했고, 돌아오는 길에 반란이 일어나 공민왕의 목숨이 위험에 처했을 때 공주는 왕을 방에 숨겨두고 자신은 문 앞을 가로막고 앉아 왕을 지켜주었습니다. 공민왕에게 노국공주는 말 그대로 생사고락을 함께 보낸 조강지처였습니다.

노국공주가 문 앞에서 왕을 지키려고 앉아 있었다. 반란군들이 그 앞에서 칼을 빼들고 덤벼들면서 공주에게는 감히 독기를 부리지 못했으므로 그 틈을 이용하여 왕을 구할 수 있었다.

『고려사』

○ 안동웅부 현판(안동 민속박물관)
  홍건적의 난을 피해 안동으로 간 공민왕이 쓴 현판으로 전해집니다.

비극의 시작

하지만 두 사람에 겐 한 가지 걱정거리 가 있었습니다. 혼인 한 지 오랜 시간이 지 나도록 아이가 생기지 않았기 때문입니다. 왕의 후계자가 없는 것을 우려한 신하들이 후궁을 들일 것을 청 했습니다. 계속된 신 하들의 요청에 결국 한 명의 후궁을 맞이 하지만 진실로 왕의

◑ 천내리 용호석(충남, 금산)
홍건적의 난으로 피난을 가던 공민왕이 금산 부근에 자신의 무덤 자리를 정하며 무덤에 두 기 위해 만들었다고 전해지는 석물입니다.

뜻이 아니었다는 기록이 남아 있을 정도로 왕과 공주의 사이는 각별했습니다. 오랜 기다림 끝에 노국공주는 임신을 하게 되었습니다. 하지만 기쁨도 잠시 출산하던 중에 아이는 물론 공주까지 숨을 거두고 말았습니다.

슬픔에 잠긴 왕은 공주의 무덤과 **공주를 기리는 절***을 짓는데 온갖 노력을 기울이며 공주를 그리워했습니다. 직접 그린 노국공주의 초상화를 보며 밤낮으로 공주를 생각했고, 밥을 먹을 때도 공주를 생각하며 슬피 울었습니다. 어머니인 명덕태후와 신하들의 반대에도 불구하고 공 주의 무덤과 절을 짓는 공사에 나라의 예산을 쏟아 부었습니다. 또 한동안 날이 가물어 농사가 잘 되지 않아 백성들이 걱정하던 중 비가 내리자 공민왕은 공사에 늦어질까봐 싫어하면서 비를 그치게 해달라고 빌기도 했습니다.

***노국공주를 기리는 절** | 공민왕은 1370년에 운암사(雲巖寺)를 노국공주의 명복을 빌기 위한 절로 삼았습니다. 이후 운암사 의 이름을 광엄사(光嚴寺)로 바꾸고 다시 광통보제선사(廣通普濟禪寺)로 바꾸면서 대규모로 중창하게 하였습니다.

◎ 공민왕 신당(서울, 종묘)

◎ 공민왕 사당(서울, 마포)

　공민왕은 그토록 기다렸던 노국공주의 무덤이 완성되는 것을 보지 못하고 신하들에 의해 죽임을 당합니다. 노국공주에 대한 공민왕의 절절한 사랑은 새나라 조선을 세운 사람들에게도 인상 깊었던 모양입니다. 조선시대 왕들의 **신주***를 모셔놓은 종묘에는 공민왕을 위한 작은 신당이 있습니다. 여기에는 공민왕의 초상이 노국공주와 함께 그려져 있습니다. 현재 공민왕은 그가 너무나도 사랑했던 부인 노국공주의 옆에 나란히 묻혔습니다. 북한에 있는 공민왕의 **무덤*** 아래에는 바로 옆 노국공주 무덤과 연결되는 통로가 있습니다. 죽어서 영혼이라도 공주와 함께하고 싶었기 때문일까요? 자신을 향한 공민왕의 사랑을 노국공주는 어떻게 생각했을까요?

*****신주 ｜ 죽은 사람의 이름과 죽은 날짜 등을 기록한 패입니다.
*****공민왕과 노국공주의 무덤 ｜ 서쪽에는 공민왕의 무덤인 현릉이, 동쪽에는 노국공주의 무덤인 정릉이 나란히 있습니다.

06 문익점은 목화씨를 붓두껍에 넣어서 가져온 게 맞나요?

〈김선우〉

◆ **도천서원(경남, 산청)**
문익점의 학문과 덕행을 추모하기 위해 세웠습니다.

◆ **부민각(경남, 산청)**
문익점의 업적을 기리기 위해 지은 건물입니다.

영웅을 좋아하는 대한민국

몇 년 전인 2013년 경북 구미시장은 "박정희 대통령은 반신반인으로 하늘이 내렸다는 말밖에는 할 말이 없다. 오늘날 성공은 박 대통령에서 시작됐다"고 말했습니다. '반신반인'(반은 신이고 반은 사람) 같은 표현으로 박 전 대통령을 극찬했습니다. 물론 많은 분들이 박정희 대통령 덕분에 우리나라가 잘 살게 되었다고는 하지만 반신반인은 너무 과한 표현이 아닌가 하는 생각이 듭니다.

우리나라는 너무 많은 어려움과 고통, 전쟁을 겪어서 그런지

⊕ **이순신 장군 동상 (서울, 광화문)**

영웅을 좋아합니다. 영화 흥행에 있어서도 슈퍼맨, 배트맨, 아이언맨, 스파이더맨 같은 히어로물이 흥행의 상위권을 차지하고 있습니다.

이런 모습은 역사에서도 나타나는데 대표적인 사람이 이순신이 아닐까 합니다. 거의 흠이 없는 인물로 묘사되곤 합니다. '성웅(聖雄) 이순신' – 성스러운 영웅으로 부릅니다. 이런 분들의 과오나 인간적인 면을 조금이라도 얘기하면 큰일이라도 날 듯합니다.

안타까운 것은 이런 분들을 높이기 위해 없는 말들이나 사건들이 덧붙여진다는 것입니다. 쉽게 말하면 역사왜곡이 나타나고 있습니다. 대표적인 사람이 문익점입니다. 문익점 하면 붓두껍이 먼저 떠오를 정도입니다. 그러나 어떠한 역사 기록에도 문익점이 붓두껍에 목화씨를 가져왔다는 기록이 없습니다. 또한, 원나라에서 목화씨를 가져가는 것이 법으로 금지되어 있지도 않았습니다.

문익점에 관해 알려진 일반적인 이야기를 먼저 해 보죠.

잘못 알려진 문익점이야기

문익점은 고려 말의 문신으로, 사신으로 원나라에 갔다가 돌아오는 길에 ① 붓두껍 속에 목화씨를 몇 알을 숨겨 가지고 왔다는 일화로 매우 유명하다. 원나라로부터 자주 독립을 꾀하는 ② 공민왕을 옹호하다가 ③ 원나라 황제의 미움을 사서 ④ 강남으로 ⑤ 3년간 귀양을 갔고, 그 곳에서 목화를 발견하여 백성을 사랑하는 마음으로 목숨을 건 ⑥ 밀수를 했고, 온갖 고초 속에서 밀반입에 성공하여 목화 재배에 성공한다. 그러나 목화에서 실을 뽑아 옷감을 짜는 방법을 알 수가 없었는데 문익점의 아들 ⑦ 문래가 실 뽑는 기구를 만들어 그의 이름에서 그 기구를 '물레'라고 부르게 되었다.

①~⑦ 중에 역사왜곡은 몇번일까요? ①~⑦ 모두 역사왜곡이라고 볼 수 있습니다. 먼저, 붓두껍 속에 가져 오지 않았다는 것은 기록을 살펴보아도 알 수 있습니다. 『고려사』에는 문익점이 본국으로 돌아오면서 목화씨를 얻어 갖고 와 장인 정천익에게 부탁하여 심었다고 기록되어 있습니다. 그러나 조선시대의 기록인 『태조실록』에는 '문익점이 길가의 목면 나무를 보고 그 씨 10여 개를 따서 주머니에 넣어 가져 왔다. 그 중 절반을 정천익에게 심어 기르게 했는데 한 개만이 살게 되었'라고 기록되어 있습니다. 어디에도 붓두껍에 숨겨 왔다는 이야기는 없죠?

두 번째는 공민왕을 옹호했다는 내용입니다. 이것도 사실과 다르죠. 공민왕의 반원개혁정책에 원은 충숙왕의 동생 덕흥군을 새 왕으로 정하여 군사 1만 명과 함께 고려에 보냅니다. 그때 원나라에 있던 고려인들도 어느 편에 들지 선택해야 했는데 문익점은 덕흥군 편에 가담합니다. 공민왕 때문에 원나라 황제의 미움을 받아 강남으로 귀양을 갔던 것은 다 허구가 되는 것입니다.

◑ 목화

◑ 물레

문익점이 돌아온 것도 3년 뒤가 아닌 바로 다음 해로 시기도 맞지 않습니다. 사실 밀수를 했다는 것은 상식적으로 맞지 않습니다. 원나라 하면 무엇이 가장 많이 떠오르나요? 저는 광대한 제국이 떠오릅니다. 수많은 역참을 통한 동서문화교류가 떠오릅니다. 우리가 알고 있는 마르코 폴로나 이븐 바투타가 왕래를 했고, 화약과 나침반이 유럽에 전해지기도 했죠. 그런데 목화를 **금지해**[*] 목숨을 걸고 숨겨 와야 했고 그것을 숨기기 위해 붓두껍에 가져왔다는 것이 말이 될까요? 그 작은 씨앗을 못 가져가도록 막는 것이 가능하기나 할까요? 또한, 문익점이 가져온 것은 강남의 목화가 아니라 강북의 길가에 흔하게 널려 있는 목화였습니다.

　문익점의 아들 문래가 실 뽑는 기구를 만들어 이 기구의 이름이 물레라고 했다는 이야기도 역사적 허구입니다. 『태조실록』에 보면 정천익이 원나라 승려에게서 배웠다고 쓰여 있고, 문래가 아들도 아닌 손자입니다. 어떻게 보면 목화 보급에 더 큰 역할을 한 것은 문익점이 아니라 장인인 정천익인 것으로 보여집니다.

역사왜곡이 일어나는 이유

　그러면 왜 이런 역사 왜곡이 나오는 것일까요? 제 생각엔 영웅은 흠이 없어야 된다는 생각 때문으로 보입니다. 거기에 무언가 대단한 일을 해야만 영웅이 될 수 있다고 믿는 사람이 많죠. 목화씨를 가져오는 일은 아무나 할 수 있는 평범한 일이기에 '미움을 받아 3년 유배 생활', '위험을 무릅쓰고', '붓두껍에' 등이 등장한 것으로 보입니다.

　그런데 여기에 그런 영웅 만들기를 반대한 사람의 이야기가 있습니다. 이 이야기를 통해 영웅이 우리에게 주는 교훈을 한 번 생각해 보면 좋을 듯합니다.

영웅이 아니라 착한 이웃이

　노블리스 오블리제(가진 자의 책무)란 이야기를 할 때 사람들이 가장 많이 언급하는 이야기로는 '칼레의 시민' 입니다.

＊금지해 | 당시 원나라의 국외 반출 금지 품목으로는 화약, 지도 등이 있었습니다.

○ 칼레의 시민 조각상

14세기 영국과 프랑스의 백년전쟁 당시 프랑스의 도시 '칼레'는 영국군에게 포위당합니다. 칼레는 영국의 거센 공격을 막아내지만 더 이상 원병을 기대할 수 없어 결국 항복을 하게 되죠. 후에 영국 왕 에드워드 3세에게 자비를 구하는 칼레시의 항복 사절단이 파견되는데 영국과 에드워드 3세는 "모든 시민의 생명을 보장하는 조건으로 누군가가 그동안의 반항에 대해 책임을 져야한다"며 "이 도시의 대표 6명을 목을 매 처형해야 한다"고 말합니다. 칼레 시민들은 혼란에 처했고 누가 처형을 당해야 하는지를 논의했습니다. 모두가 머뭇거리는 상황에서 칼레시에서 가장 부자인 '외스타슈 드 생 피에르'가 처형을 자청하였고 이어서 시장, 상인, 법률가 등의 귀족들도 처형에 동참합니다.

이 이야기는 임신한 왕비의 간청으로 모두 살아나는 해피엔딩으로 끝납니다. 제가 얘기하고 싶은 이야기는 이 여섯 영웅의 이야기가 아니라 500년 후 만들게 되는 칼레의 시민 조각상을 만든 이야기입니다. 이 영웅을 멋지게 만들고 싶었던 위원회는 프랑스에서 뿐만 아니라 세계적인 거장 조각가에 의뢰를 합니다. 그런데 이 조각가는 팔이 뒤틀리고 비탄에 빠진 채 손으로 머

● 생각하는 사람(일본, 교토박물관)

리를 감싸고 있는 고뇌에 싸여 있는 죄인 같은 비참한 모습의 조각을 만듭니다. 죽음 앞에서 당당한 모습이 아니라 두려움에 떠는 평범한 인간의 모습을 그린 것이 지요. 이뿐만 아니라 받침대도 만들지 못하게 하여 바로 앞에서 조각을 볼 수 있도록 하지요. 칼레의 시민을 조각한 사람은 바로 '생각하는 사람'으로 유명한 오귀스트 로댕입니다.

왜 문익점 이야기를 하다가 이 이야기를 하냐면 영웅이 영웅인 것은 흠결이 없는 완벽한 사람, 남들은 도저히 할 수 없는 일을 하는 초인적인 사람이기 때문이 아닙니다. 그들도 우리와 똑같은 평범한 사람들입니다. 죽음 앞에서 고통스러워하고, 내가 이 일을 할 수 있을지 심각하게 고민하는 사람들입니다. 그러나 남을 위해, 이웃을 위해, 나라를 위해 나를 희생하거나, 내 손해를 감수하는 사람입니다.

로댕은 칼레의 시민 조각이 시민들의 삶 가운데 들어와 나도 이런 사람들처럼 남을 도울 수 있기를 소망했습니다. 우리도 목숨 걸고 목화씨를 들여오라고 하면 부담스러울 수 있지만 좋은 것을 이웃과 나누라고 하면 그것은 할 수 있지 않을까요? 이순신 장군도, 세종대왕도, 김구 선생님도 너무 추켜 세우면 나와는 다른 세계의 사람들이 되지 않을까요? 우리가 알고 있는 위대한 영웅들도 사실은 우리와 같은 사람들입니다. 나도 그와 똑같진 않더라도 이웃을 위해 작은 선한 일을 할 수 있지 않을까요?

더 찾아보기

• 역사가 술술 – 목화씨를 들여온 문익점
• 지식채널 e : 여섯 명의 시민들
• 지식채널 e : 여섯 명의 시민들 2부 비참한 시민들

조선 Ⅲ

○ 경복궁 근정전

◉ 창덕궁 인정전

01 환관과 내시?
환관과 내시가 다른가요?

〈명재림〉

🔅 영국화가 엘리자베스 키스가 그린 조선시대 내시

환관? 내시?

학교에서 내시(內寺) 이야기를 꺼내면 아이들은 가장 먼저 '고자'를 외칩니다. '남성의 구실을 못한다.' '목소리가 얇다.' 등등의 말로 내시에 대해 평가합니다. 여러분들은 내시하면 무엇이 떠오르나요?

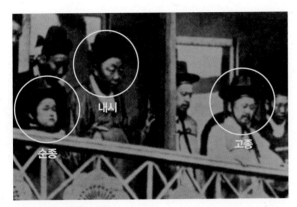

○ 고종과 환관 내시들

왕의 가장 가까운 곳에서 보필하는 사람. 이번 이야기는 내시와 환관에 대한 내용입니다.

내시, 환관, 내관. 드라마를 보면 어떤 단어가 맞는 것인지 궁금해집니다. 내시는 뭐고 환관은 뭐고 내관은 뭐야 하는 생각 한 번쯤 해보셨죠? 우선 환관은 거세되어 남성성을 잃은 채 궁궐에 있는 사람을 말합니다. 반면 내시는 거세되지 않은 사람도 오를 수 있는 하나의 관직명으로 왕의 비서 역할을 했습니다. 내시의 대부분이 환관으로 채워지면서 내시와 환관은 같은 말로 쓰게 되었습니다. 이 둘을 합쳐 내관이라고도 부릅니다. 여러분이 아는 내시는 조선시대 환관 내시일 것입니다.

환관과 내시는 역할이 달랐다

역사적으로 환관의 기록은 신라 시대 환수라는 기록이 있습니다. 삼국시대부터 환관이 존재했다는 것을 알 수 있는 기록입니다. 고려시대는 어땠을까요? 고려시대에도 환관은 존재했습니다. 다만 내시와 환관은 서로 다른 역할을 담당했습니다.

고려 전기에 내시는 과거급제자와 문벌귀족의 자제가 들어가는 관직이었습니다.

고종(高宗) 말에 과거(科擧)에 급제하였고, 승선(承宣) 유경(柳璥)이 허공과 최녕(崔寧)·원공식(元公植)을 추천하여 모두 내시(內侍)에 소속시키고 정사점필원(政事點筆員)을 삼으니, 당시에 정방(政房) 3걸(傑)이라 불렀다.

『고려사』

사료에서 보듯 고려시대 내시는 능력있는 사람을 선발했습니다. 가문이 좋거나 과거를 합격해야 오를 수 있는 자리였습니다. 별무반을 이끌고 여진을 정벌한 윤관의 아들 윤언민과『삼국사기』를 쓴 김부식의 아들 김돈중, 9재학당을 세운 최충의 손자 최사추, 성리학을 들여온 안향 등이 내시를 지낸 대표적 인물입니다.

고려에서 내시직(內侍直)의 업무는 **수위(守衛)***와 근시(近侍)를 맡았습니다. 근시는 왕의 측근에서 모시는 사람으로 승지나 사관을 말합니다. 수위는 왕을 지키는 일을 합니다. 의종 이후 점차 환관을 임명했습니다.

『조선왕조실록』태조 1권에 고려 환관의 이야기가 있습니다.

우왕이 밤에 환자(宦者) 80여 명과 함께 갑옷을 입고 태조 및 조민수·변안열의 집으로 달려왔으나, 이들이 모두 전문(殿門) 밖에서 군사를 둔치고 집에 있지 아니한 까닭으로 살해하지 못하고 돌아갔다.

『태조실록』

○ **청왕조 내시들의 몸검사**

여기서 환자는 환관을 의미하며, 아마 수위였을 것으로 추측됩니다. 고려의 위협이 되는 이성계를 제거하고자 우왕은 수위를 이끌고 이성계 일파를 제거하려고 했던 것입니다. 환관이 칼을 차고 당대 최고 무인인 이성계를 제거하려 하였던 것입니다. 환관이 왕의 가까이에서 왕을 보호하는 무사의 역할도 했던 것입니다.

내시는 왕을 대신해 궁궐 밖에 나가 민심을 살피며 각종 민폐를 제거하고 죄인을 압송, 국문하는 등, 국정 전반에 걸친 임무도 수행하는 관직입니다.

그럼 우리가 아는 거세된 내시 즉, 환관 내시는 언제부터 등장했을까요?

＊수위(守衛) | 학교 수위아저씨, 관공서나 아파트의 경비아저씨에게 붙이는 수위라는 단어와 같습니다.

원간섭기에 고려의 중앙제도는 원의 영향을 받습니다. 원에서는 환관이 주로 내시관직을 담당했습니다. 이런 원의 제도는 고려에 전해져 왕의 신임을 받는 환관이 내시로 임명되기 시작했습니다.

이때부터 가문이 좋고 재능이 뛰어난 사람에 국한하지 않고, 환관들이 내시에 뽑혔습니다. 또 내시의 수가 많이 늘어났고 그 수가 늘면서 내시의 자질도 낮아졌습니다. 이런 내시들을 관리하고자 1356년에 공민왕 때에 환관의 관청을 새로 설치합니다. 그 이름이 내시부(內侍府)입니다. 이때부터 내시부 소속 환관과 초기 고려시대 능력 있는 내시들이 혼동되기 시작한 것입니다.

조선시대의 내시부 소속은 모두 환관이었습니다. 조선시대의 환관은 근시(近侍)의 임무를 띠고 대전(大殿)·왕비전·세자궁·빈궁전 등에서 감선, 사명 및 궐문수직, 청소 등 잡무를 담당했습니다.

환관 내시들의 근무형태는 크게 장번과 출입번으로 나누었습니다. 번은 교대로 근무하는 것을 의미합니다. 장번은 장기간 왕 가까이 모시는 자들로 왕과 세자궁에서 근무했습니다. 그만

* 조선시대 내시부 | 정원 140명으로, 궁중 안의 식사 감독, 왕명 전달, 수문(守門)·수직(守直) 및 청소의 일을 맡은 관청

내시의 최고관직은 종2품(從二品)으로 더 이상 승진할 수 없도록 법으로 규정

종2품	▶ 상선 尚膳 내시부의 으뜸 벼슬. 식사에 관한 일 담당	₩ 쌀1석 1말, 콩 10말 (정1품 정승보다 많음)
정3품	▶ 상온 尚醞 왕실 사람들 시중과 함께 술 빚는 일	
정3품	▶ 상다 尚茶 다과(茶果)를 준비하는 일	
종3품	▶ 상약 尚藥 궁중에서 쓰는 약에 관한 일	왕의 특지(特旨)가 있어야만 승진 가능

정4품	▶ 상전 尚傳 왕명을 전달하는 일	종4품 이하는 체아직: 정해진 녹봉이 없이 근무 성적을 평가하여 지급
종4품	▶ 상책 尚册 궁중에서 쓰이는 서적을 관리하는 일	
정5품	▶ 상호 尚弧 목궁 관리. 활과 화살을 관리	
종5품	▶ 상탕 尚帑 궁전의 재화 관리	
정6품	▶ 상세 尚洗 대전(大殿)의 그릇, 정원의 청소 등	
종6품	▶ 상촉 尚燭 등촉(燈燭)에 관한 일	
정7품	▶ 상훼 尚烜 취화(取火)의 임무	
종7품	▶ 상설 尚設 휘장·인석(茵席)·장설(張設) 등에 관한 일	
정8품	▶ 상제 尚除 궁궐 안의 청소업무	
종8품	▶ 상문 尚門 궁중 문의 수직(守直)을 맡아본 말단관원	
정9품	▶ 상경 尚更 누각(물시계)에 따라 야간 시각을 알리는 일	
종9품	▶ 상원 尚苑 궁중의 정원을 가꾸는 일 ₩ 쌀9말	

큰 권력을 잡을 수 있는 기회가 더 많았으므로 장번 내시는 내시부의 핵심요직입니다. 사극과 영화에 나오는 내시들이 여기에 해당합니다. '장번 내시' 역시 궁에만 있었던 것이 아니고 교대 기간이 길었던 것뿐 이들도 궁 밖에 집을 두고 출퇴근 했습니다.

환관 내시도 가문이 있다

이런 환관 내시들이 결혼을 할 수 있었다는 사실 알고 있었나요? 월급을 받았으니 그 재산도 많았습니다.

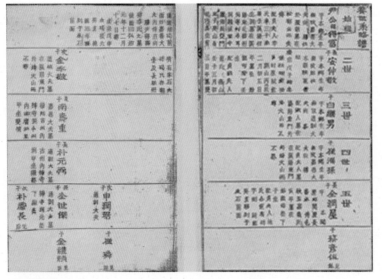

○ 양세계보
고려말 조선초 내시 윤득부를 시조로 하는 환관 777명의 족보입니다.

왕이 환관 유성(劉成)의 처 인씨가 아름답다는 소문을 듣고 구천우와 강윤을 거느리고 그 집에 행차하여 유성에게 술을 올리라고 명하였다. 얼마 있다가 유성이 왕에게 아뢰기를, "전하께서는 곧 복위하실 것이니 마땅히 백성들을 잘 다독거리고 아낌없이 상을 내리시옵소서."라고 하였다. 왕의 뜻이 그의 아내를 꾀어내는 데 있었지만, 유성은 알지 못하고 도리어 왕이 진심으로 자기를 아껴준다고 생각하여 행동거지를 매우 삼가니, 주위 사람들이 몰래 비웃었다.

『고려사』

고려 충혜왕이 환관의 처를 꾀려고 환관의 집에 간 기록입니다. 고려 시대부터 환관들은 결혼을 하고 있었습니다.

조선 시대에는 환관 내시가문이 생겨납니다. 환관 내시도 죽은 뒤 제사를 지내줄 아들이 필요했습니다. 효를 강조한 조선시대에 아들이 없어 가문이 끊기는 것을 막고자 양자를 삼는 일이 많았습니다. 조선의 수양자법(收養子法)에는 성씨가 같은 자에 한해 양자를 삼도록 되었으나, 환관만큼은 조금 더 배려해 다른 성씨의 양자를 택할 수 있게 했습니다. 환관도 처첩을 거느리기도 했으며, 환관의 아내를 환처(宦妻) 또는 동정녀(童貞女)라고 불렀습니다.

재산이나 권력에 비례해 4~5명 양자를 들이는 경우도 있었으며, 양녀도 들일 수 있었습니다. 이런 양자에 의해 이어진 내시 가문 안에 종파도 존재했습니다.

환관 내시라고 무시하지 마라

⊙ 초안산 내시 묘역(서울, 노원)
초안산 비석골 공원 안에 내시 묘역에 있던 석물을 모아두었습니다.

환관 내시는 왕의 측근으로 있다 보니 궁궐의 정보를 독점할 수 있었습니다. 정치적 혼란기에는 물론, 대외적인 상황에도 환관 내시들이 깊이 관여했습니다. 왕실의 재산이나 궁중의 각종 공사 정보를 쉽게 얻어 부를 축적하기도 했습니다.

조선 시대 환관 내시들은 체력도 좋았습니다. 광해군은 인조반정 때 환관 내시의 등에 업혀 도망을 쳤습니다. 임진왜란에 의병을 이끌고 왜군과 싸우던 광해군이 환관 내시 등에 업혔다니, 이해가 되시나요? 전쟁이나 반역 같은 재난이 났을 경우 왕실을 피난시키는 것도 내시들의 업무였습니다. 언제나 왕의 가족을 업고 뛸 체력훈련을 해야 했습니다. 구부정한 허리와 가는 목소리가 아닌 근육이 있고, 싸움도 잘하는 내시가 상상이 되시나요?

환관 내시는 남성성만 없을 뿐, 부와 권력을 가졌습니다. 또한 체력도 뛰어났습니다.

내시는 고자라고 놀릴 대상이 아닙니다.

02 세자를 29년이나 한 왕이 있다고요?

〈명재림〉

○ 현릉(경기, 구리)
동구릉에 있는 문종의 릉입니다.

세자 이향

조선 5대왕 문종은 세종과 소헌왕후의 첫째 아들로 이름은 향(珦)입니다. 세종이 왕위에 오르고 3년이 지난 1421년(세종 3)에 8세의 나이로 세자에 책봉되었습니다.

❍ 문종 태실비(경북, 예천)

문종의 삶은 순탄하지 않았습니다. 문종은 세자시절 1427년(세종 9)에 김오문(金五文)의 딸 휘빈 김씨와 혼인했습니다. 그러나 문종은 휘빈에게 관심을 두지 않았습니다. 휘빈은 문종의 관심을 받고자 궁녀 호초가 알려준 **은밀한 술법***을 동원해 문종의 사랑을 얻으려고 했습니다. 이런 불순한 행실이 결국 세종의 귀에까지 들어가 휘빈 김씨는 폐위되었습니다. 첫 번째 결혼의 실패 후 세종은 문종이 여자에 관심을 갖게 하고자 성품보다 외모를 보고 세자빈을 간택했습니다. 그녀가 바로 순빈(純嬪) 봉씨입니다. 그러나 문종은 순빈도 가까이하지 않았습니다. 이에 세종은 후사가 걱정이 된다는 신료들의 의견을 받아들여 세자에게 3명의 소실을 얻어 주었습니다. 그 후 문종은 소실들의 처소는 드나들기 시작했지만 순빈 봉씨 처소는 여전히 멀리하였습니다. 결국 궁녀들과 추문을 일으키다가 발각되면서 두 번째 세자빈 순빈 봉씨 역시 1436년(세종 18)에 폐출됩니다.

이처럼 문종은 왕위에 오르기도 전에 두 명의 세자빈이 폐출되는 불운을 겪었습니다.

문종은 종기가 잘못 치료되어 사망한 것으로 알려져 있습니다. 치료 방법에 문제가 있다는 의문이 제기되어 **암살을 이야기하는 설***도 있습니다.

하지만 알려진 것 외에 문종이 살면서 겪은 다른 심리적 원인은 없었을까요?

***은밀한 술법** | 세자빈은 세자의 사랑을 받기 위해 시녀 호초(胡椒)에게 민간에서 쓰는 갖가지 비법을 묻자 호초는 "남자가 좋아하는 여인의 신을 불에 태워 가루를 만들어 남지에게 마시게 하면 사랑을 받는다." 라고 대답했습니다. 실제로 세자빈은 자신이 시기하던 궁녀들의 신을 사용하여 시험해 보았습니다. 세자빈이 각종 비방을 쓴다는 사실을 알게 된 세송과 소헌왕후의 추궁에 세자빈이 모든 것을 자백하였습니다.

***암살을 이야기하는 설** | 종기의 치료를 침이 아닌 뜸을 사용한 것과 기름이 많은 꿩고기를 자주 식단에 올린 것은 치료가 아닌 독을 준 것이라는 설이 있습니다.

문종이 붕어했을 때 문종을 추모하며 올린 실록의 기록을 바탕으로 문종의 삶이 어떠했는지 문종의 입장에서 살펴보겠습니다.

세자로서의 삶

임금이 날마다 세종(世宗)의 옆에 모시면서 정사를 보살피는 여가에 경사(經史)를 강론(講論)하면서 부지런히 힘쓰면서 그치지 않았으니, 『역경(易經)』과 『예기(禮記)』는 모두 세종께서 가르친 것이었다. 이미 성리(性理)의 글을 통달하고 나서 표현하여 문장을 만들게 되니, 모든 교명(教命)은 모두 붓을 들고 곧 그 자리에서 써서 조금도 막힘이 없었다.

『문종실록』13권

⊕ 문종공순대왕실록

조선에서 최고의 왕으로 추앙되고 현재 우리 문화의 기틀을 마련한 왕 세종. 그의 아들로 산다는 것을 생각해 보셨나요? 왕자의 삶으로 행복했을까요?

세자로서의 삶은 그 자체가 심한 스트레스 속에 살아간다는 것을 의미합니다. 세자가 되었다는 것은 행복보다 절제의 삶이 시작되었다고 보면 됩니다. 세자는 거처를 함부로 옮길 수도 없었습니다. 모든 것이 통제되고 인내하는 법을 배워야 했습니다.

조선의 세자는 왕보다 일찍 일어나야 했습니다. 새벽 3시~4시경 일어나서 문안 인사를 시작으로 하루를 시작했습니다. 5시경 조강으로 공부를 했습니다. 7시에 아침을 먹고 또 공부를 했습니다. 점심은 11시경에서 1시까지 먹었습니다. 그리고 또 공부를 했습니다. 세자의 교육은 5시 정도가 되어야 끝이 났습니다. 아침 조강을 제외하고 오늘날 학교 수업시간과 얼추 비슷한 시간을 학업으로 보냈음을 알 수 있습니다. 차이가 있다면 지금은 토요일과 일요일, 방학이 있다는 것입니다. 문종은 8살부터 부모와 떨어져 세자로서 절제된 생활을 했습니다. 초등학교 1학년 나이에 부모와 떨어져 생활한다는 것은 쉽지 않았을 것입니다.

동궁(東宮)에 있을 때 날마다 서연(書筵)을 열어서 강론(講論)하기를 게을리 하지 않았으며,

○ 문종 어필(인천, 광역시립박물관)

『열성어필』첩에 있는 글씨로 문종은 송설체에 뛰어났습니다.

모두 동작(動作)을 한결같이 법도(法度)에 따라 하였다. 희노(喜怒)를 얼굴에 나타내지 않고 성색(聲色)을 몸에 가까이 하지 않으며, 항상 마음을 바르게 하여[居敬] 몸을 수양(修養)하며, 신심(身心)과 성명(性命)의 이치를 환하게 살펴서, 평상시에는 다른 사람과 논변(論辨)하지 않지마는, 논난(論難)한 데 이르러서는 비록 노사숙유(老師宿儒)일지라도 대답하지 못하였다.

『문종실록』13권

사료에서 보듯 문종은 세자로서 모범적인 삶을 살았습니다. 차기 왕이 되기 위한 교육을 잘 받았습니다.

『세종실록』에 나오는 사간원 상소문은 문종의 세자로서의 삶도 쉽지 않았음을 짐작하게 해 줍니다. 『세종실록』에 나온 기록을 볼까요?

첫째. 세자는 나라의 저부(儲副)이시므로 교양(敎養)하는 법을 귀중하게 여기지 아니할 수가 없사옵니다. …중략… 그 진강하는 절차도 역시 『속전(續典)』의 기재된 것에 의거하여 매일 네 차례 출강(出講)하게 하시와, **시선(視膳)***과 임금께 문안드리는 일 이외에는 항상 요좌(僚佐)를 접하시어 날로 새로와지는 덕을 이룩하도록 하옵소서. …후략…

『세종실록』83권

*시선(視膳) | 왕세자가 임금이 드실 수라상을 돌보던 법을 말합니다.

임금님 수라를 살피는 일과 문안을 빼고 왕세자는 늘 공부해야 한다고 건의하고 있습니다. 수업은 당대 최고의 학자들로 구성된 스승의 지도 아래 조강, 주강, 석강으로 이어졌습니다. 스승의 수는 20명 남짓 되었습니다. 이런 석학들의 수업을 하루 4번으로 늘리자는 상소문입니다.

나는 날마다 세자와 더불어 세 차례씩 같이 식사하는데, 식사를 마친 뒤에는 대군 등에게 책상 앞에서 강론하게 하고, …중략… 해가 기운 오후쯤에 대군 등과 더불어 후원(後園)에서 활도 쏘고 하는 것이니, 하루에 네 차례씩 서연에 나가 강론하기는 형편상 어려울 것이다.

『세종실록』83권

사간원의 상소에 대해 세종은 위와 같이 답하며 세자가 꼭 『속전』을 지킬 필요가 없다고 했습니다.

자세히 보면 그 이유가 조금 무섭습니다. '식사 자리에서도 교육을 하고 있고, 후원에서 활도 쏘고 있다.' 다시 말해 언제나 세종에게 배우고 있다는 말이죠. 세종은 왕이기도 했으나 당대 최고 학자이기도 했습니다.

만약 밥을 먹을 때마다 아빠로부터 수학과 과학에 대한 이야기와 철학과 윤리에 대한 교육이 계속되었다면 여러분들은 어떠했을까요? 문종은 세종의 질문에 늘 답을 하고 교육을 받았습니다.

선위에 대한 문제

세자의 나이가 적정하거나 왕이 나이가 들어 정무를 못 볼 것 같을 때 선대 왕은 선위의 방식으로 세자에게 정권을 넘겨주곤 하였습니다. 태조의 권한을 정종이 받을 때의 방식이 선위입니다. 선왕은 살아있으나 왕권을 넘기는 것이지요. 정종이 태종에게, 태종이 세종에게 왕위를 넘긴 것도 선위의 방식이었습니다. 그러나 세종은 섭정이라는 제도를 만들어 세종이 붕어할 때까지 정권을 문종에게 넘겨주지 않았습니다.

과녁을 쏠 적에도 또한 지극히 신묘(神妙)하여 겨냥한 것은 반드시 바로 쏘아 맞혔다. 또 천문(天文)을 잘 보아서 천둥이 모시(某時)에 모방(某方)에서 일어날 것을 미리 말했는데, 뒤에 반드시 맞게 되었다. 세종께서 매양 거둥할 적에는 반드시 천변(天變)을 물었는데, 말하면 반드시 맞는 것이 있었다.

『문종실록』13권

문종이 세자 시절 배워야 할 **6예***에 얼마나 능통했는지 알 수 있는 내용입니다.

문종은 어린 시절 큰아버지인 양녕대군이 성품 문제로 세자에서 폐위되는 것을 직접 겪었습니다. 세자의 자리가 언제든 다른 사람에게 빼앗길 수 있다는 것을 알고 있었습니다. 세자의 자리를 지키기 위해 문종은 무던히 노력했을 것입니다.

또한 문종은 효심이 지극했습니다. 세종이 앵두를 좋아했는데 문종은 세자 시절 **앵두를 직접 길러 세종에게 올리기도 했습니다.*** 배운 내용을 몸소 실천한 것입니다. 이런 문종에게 세종은 자신의 몸이 병약해 짐에도 선위를 하지 않았습니다.

문종은 29년간 세자로 삶을 살다가 왕이 된지 2년 되는 해에 나이어린 아들 단종을 남겨두고 붕어하였습니다. 당시 나이는 39세입니다. 그리고 계유정란이 발생합니다. 만약 세자로서의 삶에 문종이 마음의 여유가 있었더라면 어땠을까요? 세자빈 문제가 없었다면, 세종이 선왕들이 해왔던 것처럼 문종에게 선위를 했다면 역사가 어떻게 바뀌었을까요?

***6예** | 고대 중국 교육의 여섯가지 과목으로 예(禮), 악(樂), 사(射), 어(御), 서(書), 수(數)를 말합니다.
***앵두를 직접 길러 세종에게 올리기도 했습니다** | 후원(後苑)에 손수 앵두[櫻桃]를 심어 매우 무성하였는데 익은 철을 기다려 올리니, 세종께서 반드시 이를 맛보고서 기뻐하시기를, "외간(外間)에서 올린 것이 어찌 세자(世子)의 손수 심은 것과 같을 수 있겠는가?" 하였습니다. 『문종실록』13권

더 찾아보기

• 역대 조선 왕들의 질병과 죽음
• 사료 – 앵두이야기

03 세조는 왜 설화가 많아요?

〈명재림〉

⬦ 정2품 소나무(충북, 보은)

세조의 업적

조선 7대왕 세조, 세종의 아들로 단종을 폐위하고 왕으로 올라간 인물입니다. 그래서 우리는 세조하면 어린 조카의 왕위를 찬탈한 사람으로 알고 있습니다. 김종서를 죽이고 사육신과 생육신을 만들어 냈으며 그가 정권을 탈취한 충신들을 제거한 세조의 계유정란은 자주 영화와 드라마의 소재가 되고 있습니다.

그러나 세조는 왕으로서 많은 업적을 남겼습니다. 의정부서사제를 6조직계제로 바꾸어 왕권을 강화하였습니다. 백성들의 동향을 파악하기 위해 태종 때 실시했던 호패법을 다시 복원했으며, 경제육전을 정비했습니다. 조선의 최고 법전인『경국대전』을 만들기 시작한 것도 세조입니다. 1457년에는 **군제를 개편***하였습니다. 왜구의 침입에 대비하여 하삼도(충청, 전라, 경상)에 좌·우수영을 설치한 것도 세조입니다. 문화부분에서는 사찰을 중건하고 석가모니의 일대기를 정리한『월인석보』를 편찬하는 등 불교의 발전에도 기여했습니다.

또한 세조는 왕실 문화에도 변화를 줍니다.

⟡ 병풍석(건원릉)
병풍석은 봉분을 보호하기 위해 그 주변을 마치 병풍과 같이 감싼 석물입니다.

"내가 죽으면 속히 썩어야 하니 석실과 석곽을 사용하지 말 것이며, 병풍석을 세우지 말라."는 유명을 남겼습니다.

이러한 세조의 유언에 따라 이전까지 석실로 되어 있던 왕릉을 **회격(灰隔)***으로 바꾸어 왕릉 조성에 들어가는 부역 인원을 반으로 줄이고 비용을 절감하게 했습니다.

***군제를 개편** │ 궁궐과 서울을 수비하는 중앙군에 5위를 두고 육군과 수군으로 구성된 지방군을 만들었습니다. 정군을 경제적으로 지원하는 보인 제도를 개선히여 종전에 호(戶)단위로 부담하던 것을 인정(人丁)단위로 바꾸어 정남 2인이 정군 1명을 지원하도록 하는 보법을 시행했습니다. 국방상의 요지에만 영이나 진을 설치하는 종전의 영진제는 취약하나 병마절도사와 수군절도사들이 독자적으로 군대를 지휘하는 진관체제를 만들었습니다.

***회격(灰隔)** │ 관을 구덩이 속에 내려놓고, 그 사이를 석회로 메워서 다지는 무덤 형태입니다. 세조 이전 왕릉은 석관과 석실을 만들었는데, 석관과 석실을 만드는 것보다 비용이 적게 들고 노동력도 줄일 수 있었습니다.

세조의 결점

이런 업적에도 조카 단종의 왕위를 찬탈한 것은 세조의 가장 큰 결점이었습니다. 백성들의 인식은 세조의 재위 기간 동안 변하지 않았습니다. 세조 집권 초기에 단종의 복위를 시도했다는 이유로 친동생인 **금성대군***을 죽인 것은 백성들 사이에서 끊임없이 회자되었을 것입니다.

또한 세조 13년에 일어난 **이시애의 난***은 세조 말년까지 그에 대한 백성들의 인식이 어떠했는지 알려주는 대표적 사건입니다.

세조의 콤플렉스는 질병으로 나타났습니다. 세조가 재위 기간 동안 피부병으로 고생한 것은 잘 알려져 있습니다. 세조의 피부병 원인이 '단종의 엄마인 현덕왕후가 꿈에 나타나 침을 뱉었는데 그 자리에 종기가 났다'는 이야기로 전해지고 있습니다. 백성들이 세조를 바라보는 시선이 어떠했는지, 세조가 받았을 스트레스가 이해되시나요?

설화로 세조가 얻고자 한 것은?

○ **상원사 문수전(강원, 평창)**

세조는 백성의 마음을 어떻게든 돌리고 싶었을 것입니다. 백성에게 다가가기 위해 세조는 질병 치료를 구실로 궁궐을 떠나 전국을 돌아다녔습니다. 전국의 유명한 산을 찾아 기도하고 목욕을 하며 치료하려 하였습니다. 자신의 문제를 숨기려 하지 않고 그것을 이용한 것입니다. 그러면서 자연히 설

***금성대군** | 세종과 소헌왕후 심씨의 여섯째 아들입니다. 1456년(세조 2년) 성삼문·박팽년 등 사육신의 단종복위운동이 실패하자, 이에 연루되어 경상도 순흥으로 유배지가 옮겨졌습니다. 이곳에서 부사 이보흠(李甫欽)과 함께 고을 군사와 향리를 모으고 도내의 사족들에게 격문을 돌려서 의병을 일으켜 단종복위를 계획했으나, 거사 전에 관노의 고발로 실패하여 반역죄로 처형당했습니다.

***이시애의 난** | 세조 13년인 1467년 5월, 이시애의 선동으로 일어난 이 반란으로 세조의 중앙집권 정책으로 함길도의 특혜가 없어지자 불만과 위기감이 누적된 토호층이 난을 일으킵니다. 조선 초기 최대의 반란 사건으로 기록되었습니다. 반란군이 2만여 명이나 되었습니다. 이시애의 난은 정부의 토벌군 5만여 명을 상대로 저항하다가 그해 8월 진압되었습니다. 난이 진압된 1년 후 세조는 병으로 타계하였습니다.

화가 만들어졌습니다. 그 중 강원도 오대산 자락의 작은 사찰인 상원사에 관해 많은 이야기가 전해지고 있습니다.

상원사는 오대산 자락 월정사에서도 한참을 올라가야 나오는 사찰입니다. 자동차로 15분 이상 가야 하고, 4월에도 눈이 녹지 않는 깊은 골짜기에 있습니다. 이런 깊은 산중에 세조가 와서 목욕을 하고 갔을까 하는 의문이 들 정도로 찾아가기 힘든 사찰입니다. 상원사에 전해지는 세조에 관한 설화를 살펴보겠습니다.

세조는 상원사에서 100일 기도를 시작하였다. 기도하기 전에 세조는 몸과 마음을 청결히 하고자 매일 계곡의 물에서 목욕을 하였다. 온몸에 종기가 있는 자신의 추한 모습을 보이기 싫어서 항시 시종을 멀리 하고 혼자 씻었다. 그러다보니 등을 씻을 수가 없었다.

하루는 목욕을 하고 있는데 세조의 곁을 한 동자승이 지나가고 있었다. 세조는 그 동자를 불러 자신의 가려운 등을 씻어 줄 것을 부탁하였다. 목욕을 마친 세조는 동자승에게 "너는 어디에서도 왕의 몸을 씻어 주었노라고 말하지 말라." 하니 동자가 다시 말하기를 "왕은 어딜 가시던지 문수동자를 친견하였다고 말하지 마시오." 라고 대답한 뒤 사라졌다.

목욕을 마친 세조가 자기 몸을 살펴 본즉 종기의 딱지가 씻은 듯이 없어진 것을 보고 왕은 크게 기뻐하여 문수동자상을 조각하도록 하였다.

하지만 어느 누가 조각을 해도 자신이 보았던 그 모습의 문수동자는 아니었다. 그때 세조의 앞에 한 사미승이 나타나 "제가 조각해 보겠습니다."고 하였다. 그리고 3일 만에 세조가 보았던 동자와 똑같은 상을 조각하고는 상원사를 떠나 버렸다.

그러한 일이 있은 다음 해 세조는 다시

❂ 문수동자상(강원, 평창)

○ 평창 상원사 고양이 석상

상원사를 찾았다. 상원사에 도착한 세조는 불전에 참배코자 법당 안으로 들어가려는데 난데없이 고양이가 나타나 세조의 옷자락을 물어 당겼다. 사람을 시켜 여러 번 고양이를 쫓아도 계속 달려들어 옷자락을 당겼다.

순간 세조는 불길한 예감이 들어 병사를 시켜 법당 안을 뒤지도록 하였다. 그러자 불상을 모신 탁자 아래 숨어있던 자객을 발견했다. 세조는 고양이의 도움으로 목숨을 구한 것이다. 세조는 고양이에게 고마움의 표시로 오대산 상원사를 중심으로 한 사방 40리의 임야와 강릉 일대의 기름진 땅을 하사하였다. 이때부터 그 땅을 고양이 묘자를 써서 묘전(猫田)이라 불렀다. 상원사 안에는 고양이 석상(石像)을 만들어 두었다.

상원사 이야기 외에 또 다른 설화를 살펴보겠습니다.

1464년 조선의 세조 임금이 앓던 병을 치료하기 위해 법주사로 가던 중이었다. 임금 일행이 소나무 곁을 지나려는데 가지가 늘어져 임금이 탄 연(가마)이 걸렸다. 이를 본 한 신하가 연이 걸린다고 소리를 치자, 소나무는 스스로 가지를 번쩍 들어 왕이 무사히 지나가게 하였다.

세조와 관련된 설화 중 가장 유명한 정이품 소나무에 관한 이야기입니다. 자연을 빗대어 이야기 한 것이 불교보다는 민간신앙에 가까운 내용입니다. 세조가 다녀간 지역의 설화는 기록이 아닌 구전으로 일반 백성을 통해 전해져 왔습니다.

세조는 이런 설화를 통해 얻고자 한 것은 무엇일까요?

유자(儒子)의 나라라고 자부하던 조선에서 정통성과 정당성에 대한 문제는 매우 민감했습니다. 세조의 왕위 찬탈은 정통성과 정당성의 문제를 안고 있었기에 이를 극복할 무엇인가 필요했습니다. 세조가 자신의 결점을 극복하는 방법으로 찾은 것이 설화였던 것입니다.

자신이 앓고 있는 피부병을 치료한다는 명목으로 세조는 전국을 돌며 민심을 파악할 수 있었습니다. 그리고 백성들이 많이 믿는 불교를 가까이 할 수 있었으며, 불교 외에도 민간신앙까지 질병을 치료한다는 목적으로 쉽게 다가갈 수 있었습니다. 피부병의 치료보다 백성에게 다가가는 것이 목적인 것처럼 불교와 민간신앙에 관심을 가졌습니다. 그리고 설화가 만들어졌습니다.

세조는 그 누구보다 백성들로부터 왕으로 인정을 받고 싶었습니다. 세조는 설화를 통해 이렇게 말하고 싶었던 것은 아닐까요?

"자 보아라!

너희들이 믿는 부처님도 나를 왕으로 인정하고 병을 치료해 주었다.

짐승인 고양이도 나의 목숨을 살려주었다.

그리고 식물인 나무도 나를 왕으로 인정하였다. 이래도 내가 너희(백성)들의 왕이 아니라 하겠느냐?"

더 찾아보기

• 생방송 한국사 – 세조

04 조선에서 불교가 살아남을 수 있었던 이유는 무엇인가요?

〈명재림〉

✪ 회암사지(경기, 양주)

중이 되는 것을 막다

'중'이라고도 불리고 '승려'라고도 불리는 불교의 수도승이 성리학 국가인 조선에서 살아남을 수 있었던 이유는 무엇일까요? 그리고 조선 시대 승려가 되기 위해서 돈이 필요했다는 사실을 알고 있었나요?

조선의 건국은 불자들에게 큰 시련의 시작이었습니다.

태조는 불교의 폐단을 막고 성리학적 질서를 마련하고자 불교를 억제하는 억불정책을 펼쳤습니다. 개국 공신인 정도전은 『불씨잡변』을 저술하여 억불을 주장하였습니다. 정도전의 권유로 도첩제를 강화하게 됩니다. 도첩제는 승려가 출가할 때 국가가 신분을 보장해주는 일종의 신분증을 주는 제도입니다. 고려 말기에 시작된 것이 조선 초기에 강화되었습니다. 일명 도패(度牌)라고도 합니다. 도첩은 승려가 죽거나 다시 일반인이 되면 국가에 반납하도록 하였습니다.

그럼 승려가 되고자 하는 자는 도첩을 어떻게 받을 수 있을까요? 『태종실록』에 기록된 도첩의 값은 **양반의 경우 포 100필로 나와 있습니다.** * 사대부의 부녀자는 도첩을 받을 수 없었고, 일반 백성은 150필에서 많게는 200필을 내야지 도첩을 받을 수 있었습니다.

1년에 양인이 군역으로 내는 세금이 군포 2필~3필이었습니다. 양인의 50년~100년 치 세금과 같습니다. 높은 세금으로 승려가 되는 것을 막으려는 정책과 달리 오히려 도첩을 발급 받지 않고 출가하는 자들이 늘어났습니다. 이런 문제를 해결하기 위해 왕과 대신들은 불교 교단을 정리하는 정책으로 바꿔 승려를 양인으로 환속시키고자 했습니다.

먼저 태종은 불교 교단을 11개 종파를 7개로 줄여버렸습니다. 그만큼 사찰의 수도 대폭 줄여버렸습니다. 세종은 태종 시대의 7개 종파를 2개로 통합하였고, 흑색 승복을 입는 것도 금지하였습니다. 지금의 회색 승복은 이때부터 일반화된 것입니다. 1492년 성종은 도첩제를 폐지하여 승려가 되는 길을 차단해 버립니다. 그리고 연산군은 2개 종파도 혁파하고 사원의 토지와 노비는 관부로 몰수하였습니다. 중종은 다음과 같이 하교합니다.

---

* **양반의 경우 포 100필로 나와 있습니다.** │ 금후(今後)로는 양반의 자제로서 중[僧]이 되기를 자원(自願)하는 자는 정전(丁錢) 오승포(五升布) 1백 필(匹)을 징수하고 도첩을 주어야 비로소 출가하는 것을 허락하고 …(후략)…

『태종실록』 15권

'도성 안 원각사 등의 절을 다시 세우지 말라. 또 외방의 새로 창건하는 절을 통절히 금하고, 승도도 도첩(度牒)이 있는 자 외는 아울러 통절히 금할 것을 팔도에 유시하라.' 하였다.

『중종실록』1권

그리고 『경국대전』에 도첩을 관할하는 규정을 삭제하여 법규상 승려가 되는 길을 막아버렸습니다.

도첩제를 실시한 목적이 단지 승려의 수를 줄이고 불교를 억제하는 것이었을까요? 승려가 늘어난다는 것은 양인의 수가 줄어든다는 것입니다. 즉 농사를 지어야 하는 사람이 줄고 세금이 줄어드는 것을 의미합니다. 근본적으로 억불을 하여 조선의 승려를 줄이고 제한함으로써 성리학 국가를 만드는 동시에 국가 재정을 확보하는 성과가 있겠지요. 군역을 담당하는 양인이 승려가 되는 것을 막으면서 군역이 줄어드는 것 또한 막을 수 있습니다.

성종실록에 나오는 홍응과의 대화를 이용하다

이런 조선왕들의 불교 억제 정책에도 승려들은 그 맥을 유지하고 버텨냈습니다. 어떻게 했을까요. 『성종실록』에 홍응과의 대화를 살펴보겠습니다.

홍응이 또 아뢰기를,

'승군(僧軍)을 부역(赴役)시켜서 도첩(度牒)을 준 수가 이미 2천 명에 이르렀는데, 이 무리는 모두 군정(軍丁)을 도피해 누락된 자이니, 군역(軍役)을 괴롭게 여기는 자로서 누가 머리 깎고 와서 부역하지 아니하겠습니까? 또 무릇 중이 되는 자는 정전포(丁錢布) 30필(匹)을 바친 뒤에 도첩을 주는데, 이제 그 싸가지고 오는 양식이 두어 필에 지나지 아니하고 수십 일의 부역으로 갑자기 도첩을 주니, 매우 옳지 못합니다. 청컨대 중을 부역시키는 것을 파하소서.'

하니, 임금이 말하기를,

'궁궐이 허물어져서 수리하지 아니할 수 없는데, 이제 승도(僧徒)를 부역시키는 것은 선군(船軍)을 쉬게 하고자 하는 것이다. 승도는 산골짜기에 깊이 숨어 사는데, 수령이 어찌 능히 찾아내겠는가? 이제 부역하게 하여 비록 도첩을 줄지라도 역시 나라의 이익이다.' 하였다.

『성종실록』159권

위 사료를 통해 도첩을 받고자 하는 승려에게 공역을 시키고 일정 기간 역을 담당하면 도첩을 주었음을 알 수 있습니다. 군역을 담당하는 양인들이 힘든 노동을 기피하면서 그 대체 인력으로 승려들을 이용한 것이지요.

그런데 일정 기간의 노역으로 도첩을 받을 수 있다는 사실에 도첩이 없어서 숨어 지내던 승려들이 몰려들었고, 그 인원이 모집 인원수보다 넘치는 현상까지 나타났습니다. 불교가 억압받는 중에도 승려가 되고자 출가하는 사람은 줄지 않았다는 것을 보여줍니다.

부역에 동원되는 것 외에도 국란에 적극 참여하여 불교의 입지를 새롭게 하였습니다. 임진왜란이 일어나면서 승려들은 의병으로 활약합니다. 정부의 정규 군대도 막지 못한 왜군을 승려들이 싸워 막아냄으로서 승려들의 입지도 달라집니다. 사대부들은 승려들을 일 안하고 놀고먹는 '땡중'이 아닌 힘이 좋아 일을 시킬 수 있는 노동자들로 인식하게 됩니다.

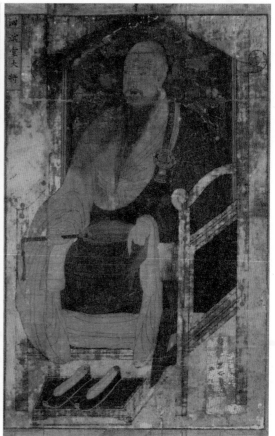

○ 임진왜란 의병장 서산대사 휴정과 사명당 유정(국립중앙박물관)

사도 도체찰사(四道都體察使) 유성룡(柳成龍)이 아뢰기를,

"수원(水原)의 독성(禿城)은 성첩이 이미 수축되었고 기계도 대략 갖추어졌습니다. … 이에 신이 용인 현령(龍仁縣令) 윤수연(尹粹然)으로 하여금 중들을 모집하여 방옥(房屋)을 수리하게 하였고 …"

『선조실록』74권

승려들은 임진왜란 전과 같이 산성을 쌓는 일에 동원되거나 노역의 대상이 되었습니다. 특히 남한산성과 북한산성을 쌓는 일에 동원되었습니다. 대신에 산성주변에 사찰을 짓는 것을 허락하여 산성의 방어와 수리를 승려들에게 맡겨버립니다. 지금도 존재하는 산성 주변의 사찰은 이 때 만들진 것들이 많습니다.

승려들은 종이 생산도 했습니다. '한지(韓紙)의 주원료인 닥나무가 산에 있으니 산에서 먹고 자는 중을 이용하여 한지를 생산하자'는 주장에 한지 생산을 사찰이 담당하게 됩니다. 닥나무를 베고, 씻고, 삶아 으깨는 작업과 물에 넣어 불리는 한지 생산 과정이 너무 고되어 도첩을 받고도 한지 작업이 싫어 스스로 절을 떠나는 승려도 있었습니다. 생존을 위한 방법으로 한지 외에도 짚신을 만들어 팔기도 했습니다. 조선에서 승려로 살아간다는 것은 무척 힘든 일이었습니다.

억압에도 승려는 줄어들지 않다

이런 차별에도 왜 승려가 되려고 하였을까요?

유교는 종교로서의 매력이 높지 않았습니다. 사회에 약자들이 믿고 의지할 신이 없다는 점이 가장 큰 약점이었습니다. 물론 유교는 조상신을 믿고 제사를 지냅니다. 지배층은 당연히 조상에 대한 은덕에 감사하겠지만 부랑자와 천민은 조상이 원망의 대상이었겠지요.

반면 불교는 극락이라는 사후세계와 윤회설, 미륵불 같은 종교로서 기능을 갖추고 있습니다. 스스로 수련을 하고자 하는 마음으로 구박받고 천대 받아도 승려의 길을 선택하는 자가 많았던 것입니다. 그리고 세금을 면제 받을 수 있다는 점입니다. 양인 남성이 내야 하는 세금에 대한 면제는 가난한 백성들에게 속세를 끊을 만큼 부담이 된 것이 아니었을까요?

○ 남한산성 동문(경기, 광주)

더 찾아보기

• 이야기 한국사 – 냉혹한 군주 태종 이방원

05 임진왜란은 모두가 한 마음으로 극복한 전쟁이었나요?

〈장재윤〉

⊙ 동래부 순절도(육군 박물관)

국난 극복의 역사

　한국사에는 나라가 망할 뻔 했던 전쟁이 여러차례 나옵니다. 하지만 그때마다 침략자를 물리쳤지요. 임진왜란도 그 가운데 하나입니다. 우리는 이 전쟁을 보통 어떻게 기억하고 있을까요?

　1592년, 일본군이 조선에 쳐들어왔습니다. 전쟁 대비를 충분히 하지 못한 조선은 침략자를 막아내지 못합니다. 관군은 곳곳에서 무너지고 임금은 도성 한양을 포기하고 북쪽으로 도망칩

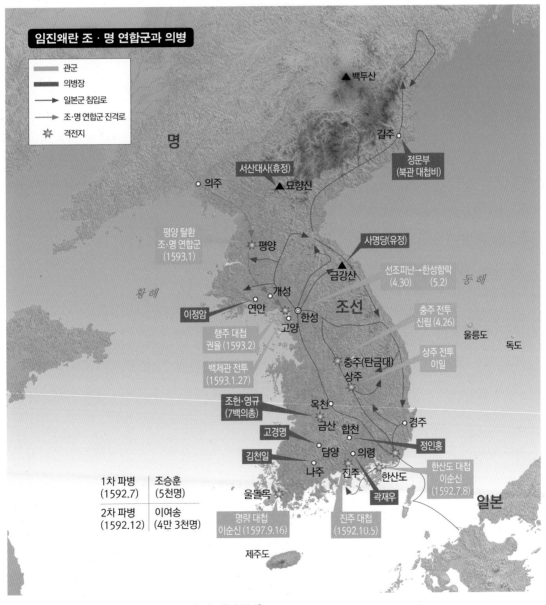

🔄 임진왜란 전개(『참 한국사 이야기』, 주류성. 권3에서 전재)

니다. 정말 나라가 망해 버릴 수도 있는 위기 상황. 보통 우리는 이때 나라를 구한 '영웅'으로 두 가지를 떠올립니다. 이순신의 수군과 전국에서 일어난 의병들입니다. 이들은 명나라 원군이 들어오고 관군이 전열을 다시 정비할 때까지 일본군의 진격을 저지합니다. 전세역전의 일등 공신이라고 할까요. 이후 조선이 제대로 반격에 나서자 일본군은 결국 견디지 못하고 다시 바다를 건너 도망갑니다.

우리 조상들이 국난을 자랑스럽게 극복해낸 사례가 이렇게 역사에 또 하나 새겨집니다. 특히 의병은 당시 백성들의 뜨거운 애국심을 보여주는 사례로 많이 사랑받았지요. 임진왜란은 우리 나라 사람 모두가 하나로 뭉쳐 외침을 이겨낸 전쟁이라는 이야기입니다.

상식적으로 생각해보면 이러기가 쉽지 않다는 걸 알 수 있습니다. 어떻게 다들 군인도 아니면서 목숨을 걸고 적에게 맞서 싸울 수 있었을까요? 세계사에서 그런 나라는 거의 없습니다. 잘 알려진 근현대 전쟁에서도 적이 점령한 지역에서 침략자에 협력하는 부역자들이 꽤 많았습니다. 적극적으로 적을 돕지는 않아도 그들의 요구에 따르고 목숨을 부지하려는 사람들이 목숨 걸고 저항하는 사람들보다 많았던 것을 볼 수 있습니다.

조선이 무척 특별한 나라였던 것일까요? 조금 더 들여다보면 크게 다르지 않았다는 것을 금방 알 수 있습니다.

일본군에 협력한 사람들, 부왜(附倭)

전쟁 초에 일본군은 부산에 상륙하고서 경상도 일대를 빠른 속도로 점령하며 한양으로 진군했습니다. 이때 점령 지역 주민들의 반응이 어땠을까요? 『선조실록』에는 이런 기록이 남겨져있습니다.

최근 부역이 무거워 백성들이 편히 살 수 없는 데다가 형벌마저 매우 잔인하여 군졸이나 백성들이 원망하는 마음을 뱃속에 가득 품었는데 억울한 사정을 호소할 길도 없어 마음이 떠나고 흩어진지 이미 오래입니다. … 연해의 무지한 백성들이 모두 머리를 깎고 의복도 바꾸어 입고서 왜적을 따라 곳곳에서 도적질하는데 왜적은 몇 명 안되고 절반이 배반한 백성들이니 매우 한심합니다.

－『선조실록』

전쟁 초기 조선 정부가 보여준 모습은 무척 실망스러웠습니다. 관군은 전투에서 연달아 패배했고 왕도 도성을 비우고 도망쳤습니다. 책임지고 자기 지역을 지켜야 할 고을 수령들도 겁에 질려서 백성들을 버리고 도망치는 경우가 무척 많았습니다.

그렇다고 조선이 원래부터 살기 좋은 나라였던 것도 아닙니다. 온갖 특혜는 양반들이 가져가고 일반 백성들은 무거운 의무만 져야 했지요. 사실 지금 기준에서 보면 조선은 하나의 나라라고 보기 힘듭니다. 같이 살고 있지만 양반과 평민은 같은 조선 사람이 아니었습니다. 백성들의 삶을 더 크게 위협했던 건 누구였을까요? 침략자 일본이었을까요 양반들의 특권을 위해 일반 백성을 수탈하는 조선 정부였을까요? 아마 많은 사람들이 헷갈렸을 것입니다.

일본군도 개전 초에 이러한 사정을 잘 알았던 모양입니다. 그들은 조선 백성들을 무척 너그럽게 대하면서 마음을 사로잡으려고 합니다. 굶주린 사람들에게 쌀을 나눠주기도 하고 협력하는 조선인에게 자기네 관직을 내려주기도 합니다. 일본군이 점령한 성의 주민을 모조리 죽이고 코와 귀를 전리품으로 잘라가는 잔인한 모습으로 돌변한 건 나중에 전세가 불리해졌을 때의 일입니다.

⬦ 귀무덤(일본, 교토)
조선에서 잘라 간 귀를 한 곳에 모아 무덤으로 만들었습니다.

이러니 침략자에게 순응하거나 협력하는 사람이 나타나지 않을 수 없었습니다. 몇몇 사람들은 새로운 상전이 나타나 자기들을 구해주었다며 진심으로 좋아하기도 했다고 합니다. 일본군이 한양을 점령하자 처음에는 겁에 질려 숨었던 백성들이 얼마 지나지 않아 다시 도성 안에 빽빽하게 들어찼다고 합니다. 이렇듯 소극적으로 일본군을 따르는 사람들은 아마 셀 수도 없이 많았을 것입니다.

한편 매우 적극적으로 일본군을 위해 움직이는 사람들도 있었습니다. 함경도에서 왕자 임해군과 순화군을 붙잡아 일본군에 넘기고 그 일대 지배자로 행세한 국경인 일당이 대표적인 사례입니다. 그는 원래 죄를 지어 함경도에 유배 온 사람이었습니다. 전쟁으로 인생역전의 기회를 노린 것이었겠지요?

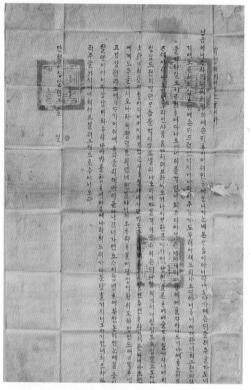

○ 선조 국문 유서(부산시립박물관)

임진왜란 당시 위기를 맞은 건 사실 '양반들의 조선'이었습니다. 왕과 양반들 입장에서야 조선이 무너지면 자기들을 떠받쳐주던 것도 같이 없어지는 셈이지만 백성들은 아쉬울 게 없었지요. 더구나 기존 체제가 자기들을 지켜주기보다 살기 힘들게 괴롭히기만 했다면, 그런 상황에서 새 지배자가 예전 지배자보다 더 나은 대우를 해준다면 마음이 돌아설 수도 있는 겁니다. 조선 정부도 이런 사실을 잘 알고 있었습니다. 백성들의 마음을 다시 잡아보려고 이렇게 저렇게 애써봅니다. 적극적으로 앞잡이를 한 게 아니라면 너그럽게 용서해준다고 약속하거나 일본군대를 따라다니다 일본군을 잡아오면 일본에 맞서 싸운 것과 동등하게 상을 주겠다고 선포하기도 하지요. 곧 1593년 의주로 피난했던 선조는 한문을 모르는 백성들을 회유하기 위해 한글로 유서를 내렸습니다. 내용은 포로가 되어 왜군에게 협조하는 백성들을 돌아오게 회유하는 것입니다. 곧 왜인에게 잡혀간 자의 죄를 묻지 않고, 왜군을 잡아오는 자와 포로로 잡힌 백성들을 데리고 나온 자는 양천을 가리지 않고 벼슬을 내린다는 것이었습니다. 오죽하면 이런 유서를 내렸겠습니까.

의병에 대한 오해

○ 곽재우의 말안장(경남, 의령 충열사)

한편, 나라를 지키려고 용감하게 일어선 사람들이 있었습니다. 의병이었습니다. 전국에서 수만 명이 창칼을 들고 나섰습니다. 그 기세가 무척 격렬해서 일본군 점령지를 위협하고 보급로를 끊어 일본군의 진격을 늦추었습니다. 활약한 규모만 살펴보면 정말 '거국적' 저항이었다고 말할 수도 있겠습니다.

그런데 하나 생각해볼 점이 있습니다. 우리는 보통 의병을 '애국심으로 일어나 목숨을 바친 백성들'이라고 생각합니다. 물론 조선이라는 나라를 사랑해서 목숨을 걸었던 사람들도 분명히 있었겠지만 그게 다였을까요? 어쩌면 우리는 의병을 실제 모습과 다르게 '상상'하고 있는지도 모르겠습니다.

❂ 의병장 정문부의 활약(북관유적도첩)

먼저 의병장들을 살펴봅시다. 의병장은 대부분 전직 관료이거나 아직 관직에 나아가지 않은 양반 유생이었습니다. 우리가 생각하는 것처럼 그들의 동기가 '애국심' 하나뿐이었을까요?

조선은 성리학 국가입니다. 양반들은 성리학을 배운 사람이니까 평화로울 때는 조정에 나아가 왕에게 충성하고 나라에 위기가 닥쳤을 때는 목숨을 걸고 왕을 위해 싸워야 합니다. 그게 그들의 존재 이유입니다. 이에 왕은 평화로울 때는 그들이 뜻을 펼칠 수 있게 기회(예를 들면 과거 시험)를 주고 외적과 싸울 때 공을 세운 사람들에게는 그에 어울리는 대가(관직)를 내려주어 보답하는 식으로 질서를 유지했던 것이죠.

임진왜란 때도 마찬가지였습니다. 전공을 세운 의병장에게 조정은 관직을 내려주는 것으로 보답합니다. 이것은 실제로 많은 의병장들에게 동기부여가 됩니다. 의병장이 된다는 건 나라와 백성을 지키고 왕에게 충성하는 일이기도 했지만 관직을 받고 출세할 수 있는 좋은 방법이기도 했던 것입니다.

그럼 백성들은 왜 의병장을 따라 나섰을까요? 평소에 존경하던 의병장의 호소를 듣고 따라 나선 사람들도 있었고 자기 마을을 침략자로부터 지키려고 무기를 든 사람들도 있었습니다. 드물게는 정말 왕에게 충성하는 마음으로 싸운 백성들도 있었겠지요. 그런데 핵심은 따로 있습니다. 그건 당시 조선의 '군역제도'였습니다.

조선은 병농일치제를 운영하였습니다. 모든 백성들이 평상시에는 농사 같은 생업에 종사하다 전쟁이 나면 군인으로 소집되는 것이지요. 전쟁이 길어지면서 백성들은 아예 일본군을 따라나 설 게 아니라면 언젠가는 관군에 동원되어야 했지요. 이미 왕이 보낸 관리들이 백성들을 병사로 동원하려고 온 나라를 뛰어다니고 있었습니다.

백성들이 보기에 싸우다 죽기 쉬운 무능한 관군으로 소집되는 것보다는 의병장을 따라나서는 게 더 나은 길이기도 했습니다. 이기는 싸움에 참여할수록 목숨도 부지하고 공을 인정받아 보상을 받을 수도 있었으니까요. 한편 전세가 일본군에 불리해지면서 사람들을 학살하기 시작하자 그 들을 따르던 백성들이 마음을 바꾸어 의병 부대에 적극적으로 참여하기도 합니다.

의병 부대들은 독립적으로 움직이기보다 관군과 함께 정부의 통제에 따라 움직였습니다. 정 부는 의병과 관군을 뚜렷하게 나누지 않았습니다. 의병 부대에 관군이 들어가거나 의병이 관군에 합 쳐지기도 합니다. 의병장이 관직을 받으면 그가 이끄는 의병 부대가 관군이 되기도 했습니다.

사실 당시에 의병과 관군을 구별하는 건 큰 의미가 없었습니다. 병농일치 제도에 따르면 의병 이나 관군이나 동원되어야 할 병사들이 조직적으로 뭉쳐서 싸운다는 점에서는 거의 마찬가지라 고 할 수 있었습니다. 지휘관이 의병장이냐 정식 지휘관이냐의 차이만 있었을 뿐이지요. 당시 조정은 의병과 관군을 모두 정부 차원에서 통솔하며 일본에 맞섰습니다.

임진왜란은 조선시대의 눈으로 보아야 제대로 보인다

우리는 그동안 임진왜란을 '민족주의적' 시각으로만 바라보았습니다. 단순히 조선과 일본 사 이에 일어난 전쟁이 아니라 일본 민족의 침략에 한민족이 하나로 뭉쳐 맞선 성스러운 싸움으로 본 것이지요. 이런 시각은 근대 일본의 제국주의 침략과 식민 지배에 저항하는 과정에서 만들어 졌습니다. 당시 나라를 되찾기 위해서는 민족주의적 관점으로 역사를 바라볼 필요가 있었으니 까요.

민족은 하나의 발명품입니다. 민족은 '우리는 하나의 공동체'라고 동의하는 사람들끼리 만들 어낸 상상의 공동체입니다. 한국사에서 민족 공동체는 아무리 빨리 잡아도 조선 말, 외세 침략 이 시작되는 시점에서야 처음 나타나기 시작했고, 3.1운동 때 신분 차이를 넘어 사람들이 뭉

치고 일체감을 갖게 되면서 진정한 모습으로 완성됩니다. 제대로 따져보면 임진왜란 당시 조선 '민족'은 없었습니다. 민족이 없었던 시기를 민족의 틀로 바라보면 옛 시대를 크게 오해할 수도 있습니다. 이건 비단 임진왜란 뿐만이 아니지요.

당시 사람들은 아마 '나는 조선 땅에 사는 사람', '우리는 조선 왕의 백성' 또는 '조선 사람과 일본 사람은 다르다' 정도로 생각하긴 했을 겁니다. 하지만 조선을 '우리나라'로 생각하는 사람은 왕과 양반들 정도였을 것입니다. 대다수 백성들에게 조선이라는 나라는 '나랏님', '사또', '양반님들' 같은 존재에 지나지 않았습니다. 당시 조선 정부도 그런 사실을 충분히 알고 있었고 나름대로 영리한 방식으로 사람들을 전쟁에 동원했지요. 의병이 바로 그런 모습이었습니다.

우리는 임진왜란을 어떻게 봐야 할까요? 임진왜란은 민족이 하나로 뭉쳐 일본을 물리친 싸움이라고 보기 어렵습니다. 임진왜란을 그저 '국난 극복의 역사'로 바라보기보다 다르게 살펴보는 건 어떨까요? 어떻게 하면 나라가 무너질 수도 있다는 점을 뼛속 깊이 새겨보는 건 어떨까요? 나라가 제대로 돌아가려면 어떤 모습이어야 할지, 사람을 움직이는 게 무엇이고 조직과 집단이 구성원의 참여와 헌신을 어떻게 이끌어내는 게 옳은지 생각해보는 건 어떨까요?

더 찾아보기

• 역사채널e '어떤 반란'

06 사도세자는 정말 정신질환을 앓았나요?

〈윤관집〉

✿ 융릉(화성) 사도세자의 능입니다.

책을 읽고 있는 여러분들에게 질문을 하나 하겠습니다. 조선 후기 왕족 중 가장 비운의 인물하면 누가 먼저 기억이 나는지요? 아마도 대다수의 독자 여러분들은 사도세자의 이름을 가장 많이 답할 것입니다. 사도세자에 관한 일화는 우리에게 많이 알려져 있습니다. 지난 2015년에는 그에 관한 이야기를 다룬 영화 '사도'가 개봉되어 많은 이들에게 사랑을 받기도 했습니다. 혹자는 사도세자의 죽음을 당쟁에 의한 억울함으로 묘사하기도 합니다. 하지만 과연 그럴까요? 현재 남아있는 기록을 살펴보면 사도세자의 죽음은 억울함보다 그의 성격에 문제가 있음을 쉽게 찾을 수 있습니다. 즉, 사도세자의 죽음은 당쟁보다는 그의 정신적인 측면이나 성격에 의한 문제로 파국에 이른 것으로 추측할 수 있습니다.

그럼 여기서 한 가지 의문점이 생길 수 있습니다. '사도세자가 정신적으로 문제가 있었다면 이것은 사도세자 개인의 질병인가?' 라는 질문입니다. 물론 사도세자가 선천적인 요인에 의한 정신병보다는 후천적인 요인에 의하여 병이 발현했을 가능성이 있습니다. 여러분들이 많이 알고 있는 아버지 영조와의 갈등이 대표적이라 할 수 있습니다. 그러나 여기에서는 그 동안 많은 사람들이 생각해 보지 않았던 선천적인 유전병에 초점을 맞추어 보려 합니다.

숙종

먼저 주목해야 할 왕은 사도세자의 할아버지 숙종입니다. 숙종은 우리에게 장희빈과 인현왕후의 이야기로 잘 알려져 있습니다. 그래서 그런지 조선시대를 배경으로 한 사극에서 가장 많이 출현한 왕으로 손꼽히고 있습니다. 왕과 궁중 여인들 간의 사랑과 암투로 그려진 드라마에 출현했던 숙종의 진짜 모습은 어떠했을까요? 실제 그의 모습은 여인들 사이에서 갈팡질팡하는 왕이 아닌 정말 무섭고 불같은 성격의 소유자였다고 합니다.

숙종의 성격을 나타내주는 일화를 살펴보면 그 모습을 알 수 있습니다. 어린 시절 궁녀들이 머리를 빗겨주거나 옷을 갈아입히는 것조차 못참아 투정을 하는 것이 다반사여서 어머니 명성왕후가 직접 머리를 빗겨 주었으나 그 조차도 쉽지가 않았다고 합니다. 특히, 명성왕후는 숙종의 성질이 아침에 다르고 점심에 다르고 저녁에 다르니 자신도 감당할 수 없다고 토로했다 합니다. 세자 시절에는 우유를 마시다가 송아지 우는 소리를 듣고 불쌍한 마음에 먹는 것을 그만두었다는 기록이 있을 만큼 인간적인 면을 찾아 볼 수도 있으나 화가 나면 걷잡을 수 없을 정도

환국의 흐름

환국	연대	사유	결과
경신환국	숙종 6년 (1680년)	유악 사건	서인 집권
기사환국	숙종 15년 (1689년)	원자(장희빈 아들) 세자 책봉	남인 집권
갑술환국	숙종 20년 (1694년)	인현왕후 복위	서인 재집권

로 신경질을 내었다고 합니다. 현 시대에 의학적으로 진단하면 분노조절장애를 갖고 있었던 것으로 보입니다. 『조선왕조실록』 숙종 30년(1704)의 기록을 보면 숙종 자신이 이런 말을 합니다.

"나의 화증이 뿌리내린 지 이미 오래고 나이도 쇠해 날이 갈수록 깊은 고질이 되어 간다. 무릇 사람의 일시적 질환은 고치기 쉽지만 가장 치료하기 어려운 것은 화증이다. 오랜 시간 동안 일을 하면 화염이 위로 올라 비록 한겨울이라도 손에서 부채를 놓을 수가 없다."

숙종 자신도 화병에 시달려 괴로워하고 있음을 알 수 있는 대목입니다. 이러한 성격의 소유자기이기에 자신이 사랑했던 여인을 죽이고 많은 신하들을 죽였었던 **환국***이 나타나지 않았나 생각이 듭니다. 결국 환국은 숙종 자신의 성격에 의해 만들어진 정치판이 아닐까요?

영조와 사도세자

그럼 숙종의 아들이자 사도세자의 아버지인 영조는 어떠했을까요? 영조는 성격 변화가 심하고 작은 일에도 쉽게 화내며 자주 눈물을 흘리는 모습을 보였다고 합니다. 더구나 영조 자신의 화가 극에 달하게 되면 차마 입에 담을 수 없는 욕을 신하들에게 퍼붓기도 했습니다. 기록에 의하면 영조 50년(1774년) **사간원***의 수장인 대사간 자리만 해도 한 해에 21명이 거쳐 갔고, 한 번 바뀐 사람이 다시 임명되는 경우가 5차례여서 모두 26차례나 사람이 바뀌었다고 합니

***환국** | 숙종이 왕권 강화를 위해 실시한 정책으로 여러 당파를 고루 등용하지 않고 한 당파에 권력을 몰아주는 형태입니다.
***사간원** | 사헌부·홍문관과 함께 대간 또는 3사로 통칭되었습니다. 주요 기능은 간쟁과 봉박으로 간쟁은 왕의 언행과 시정에 잘못이 있을 때 이를 바로잡기 위한 언론이고, 봉박은 일반정치에 대한 언론으로 그 대상은 그릇된 정치와 부당·부적합한 인사 등이었습니다.

다. 영조의 감정 기복이 얼마나 심각한지 알 수 있습니다.

여러분들이 영조의 신하였다면 이러한 모습을 보이는 왕에게 무슨 생각이 들었을까요? 왕의 명령에 의해서 생과 사가 갈리는 시대에서 무섭다는 생각이 들 수밖에 없습니다. 영조의 어머니 숙빈 최씨의 출신이 미천하다는 점은 영조에게 평생 콤플렉스로 따라다녔습니다. 이것은 영조의 유전적 요인과 결합하여 편집증이나 강박증으로 발현했을 가능성이 있으며 아들 사도세자에 대한 집착·실망·분노로 이어졌을 것으로 추측됩니다.

● 영조 어진(국립고궁박물관)

사도세자는 영조가 나이 40이 넘어 얻은 귀한 아들로 그에 대한 사랑은 대단했습니다. 하지만 당시 사람들의 평균수명을 감안하면 영조 자신은 언제 수명을 다 할지 모를 노릇이었습니다. 그러기 때문에 영조에게는 사도세자를 빠른 시일 안에 왕의 재목으로 성장 시킬 필요가 있었고 이러한 조급함은 결국 부자 간의 관계를 단절시키고 말았던 것입니다. 사도세자에게도 분명 앞서 언급한 할아버지 숙종과 아버지 영조의 다혈질적인 성격을 내재하였을 것

● 뒤주(대전역사박물관)

입니다. 잠자고 있어 보이지 않았던 그의 성격은 아버지 영조로부터의 미움과 괄시를 받으면서 폭발했을 가능성이 있습니다. 사도세자는 이런 분노를 폭력적인 방법으로 분출했습니다.

그 사례를 보면 다음과 같습니다. 후궁은 물론 부인인 혜경궁 홍씨와 자신을 가르치는 스승을 공격하였고 의대증(옷을 입기 싫어하는 병)으로 자신이 사랑했던 경빈 박씨를 살해하기도 하였으며 내관과 나인을 수 없이 많이 죽였다고 합니다. 죽기 직전에는 생모인 영빈 이씨를 죽이려 했으며 창덕궁 낙선재의 우물에서 자살을 시도하기도 했습니다. 극단적인 상황까지 몰렸던 사도세자는 이성적으로 이해할 수 없는 광기어린 행동에까지 나서게 되었고 결국 비극적인 최후를 맞이하게 된 것입니다. 여기에 자신의 아들을 죽음으로 몰고 간 영조의 모습을 보면 우리 상식으로는 이해할 수 없기는 마찬가지입니다.

정조

그렇다면 여기서 궁금한 점이 생깁니다. '사도세자의 아들 정조는 과연 어떠한 성격의 소유자였을까?' 하는 점입니다. 지난 2009년 2월 정조가 심환지에게 보낸 비밀편지가 발견되면서 그의 성격을 유추할 수 있게 되었습니다. 편지의 내용은 상당히 충격적이었습니다. 그 표현의 수위가 우리가 아는 정조가 맞나 싶을 정도로 거칠었기 때문입니다. 정조는 편지에서 욕설과 비속어를 섞어가며 당대 유명 인사들을 혹평했습니다. 노론계 서영보를 '호로자식', 심환지를 '생각 없는 늙은이', 젊은 학자 김매순을 '젖비린내나고 미처 사람 꼴을 갖추지 못한 놈', 일부 유생들을 '오장에 숨이 반도 차지 않았고 도처에 동전 구린내를 풍겨'라고 비판했기 때문입니다.

○ 정조 어진

그리고 정조는 자신의 출중한 학문적 지식을 바탕으로 신하들을 무시하는 일이 많았다고 합니다. 신하들에게 더 이상 학문적으로 배울 게 없다고 느낀 정조는 신하들과 함께 공부하는 경연의 필요성을 느끼지 못했습니다. 결국 정조 자신이 중하급 관리를 교육시키는 초계문신제

○ 주합루(창덕궁)
규장각이 있던 건물입니다.

를 실시했으며 마음에 들지 않는 신하가 있으면 자신의 지식을 활용해 공개적으로 망신을 주기도 했습니다. 정조가 자신의 신하들에게 자주 했던 말이 '공부하시오!'라니 당시 상황을 짐작할 수 있습니다. 이러한 사례로 보면 아무래도 정조는 오만하고 자기중심적이며 다소 거친 성격의 소유자임을 알 수 있습니다.

지금까지 사도세자를 중심으로 그의 할아버지 숙종에서부터 아들 정조까지를 대략 살펴보았습니다. 4대에 걸친 다혈질적인 성격으로 말미암아 지금까지 많은 이야기가 생산되고 재생산되어 우리에게 흥미를 주고 있으며 계속 회자되고 있습니다. 그렇다면 이들의 다혈질적인 성격이 유전으로 이어진 것일까요? 한 사람의 성격이 형성되는데 유전적인 요소가 중요한 역할을 합니다. 그러나 그에 못지 않게 중요한 것이 환경적인 요소라 생각합니다. 숙종에게는 당쟁으로 인한 혼란, 영조에게는 출신 성분의 콤플렉스, 사도세자에게는 부자 간의 갈등, 정조에게는 아버지 사도세자의 죽음. 이러한 스트레스들이 자신들의 유전적 특징을 자극하면서 다혈질적인 성격을 가진 인물이 만들어진 것으로 추측됩니다.

사람은 태어나면서부터 완벽한 성격을 갖출 수 없기에 끊임없는 교육과 심신수련으로 자신을 다스릴 줄 아는 이성적이고 합리적인 사람이 되어야 합니다. 조선대의 왕도 끊임없이 자기수양을 할 것을 당연하게 여겼고 대다수의 왕들은 군자가 되기 위하여 노력을 했습니다. 다만 숙종을 비롯한 영조와 사도세자, 정조는 당시 붕당정치라는 정치적 상황과 복잡한 가정사로 인하여 어려움을 겪었던 사실을 우리는 이해해야 합니다. 역사를 보면 위인들은 궁핍한 환경에서 자신이 갖고 있는 최선의 역량을 끌어내 빛나는 업적을 남긴 경우가 대다수입니다. 숙종의 환국 정치가 있었기에 영조가 국왕이 될 수 있었고 사도세자의 실패가 있었기에 정조도 국왕이 될 수 있었습니다. 숙종과 사도세자가 없었으면 조선 후기 르네상스라 불리던 영조와 정조의 통치는 없었을 것입니다. 어쩌면 영조와 정조의 궁핍은 신이 준 선물일지도 모릅니다.

더 찾아보기

• 역사채널e – 사도세자 죽음의 진실

07 선정비는 왜 만들었나요?

〈신지영〉

❖ 강화도 선정비군

❖ 남한산성 선정비군

술래잡기 고무줄놀이 말뚝박기 망까기 말타기

놀다보면 하루는 너무나 짧아

— 자전거를 탄 풍경, 〈보물〉

　한번쯤 들어본 노랫말이지요? 해 지는 줄 모르고 정신없이 뛰어 놀던 어린 시절, 우리들을 즐겁게 해준 많은 놀이들이 있습니다. 최근에는 이런 놀이문화가 사라지고 키즈 카페 같은 실내 놀이터에서 노는 경우가 많아졌습니다. 알록달록 다양한 장난감과 놀이 기구들을 즐기다 보니 입에서 입으로 전해오는 골목 놀이들이 하나 둘씩 사라져 갑니다. 그 중 하나가 '비석치기'입니다. 비석치기는 일정 거리를 두고 돌을 세워두고 여러 가지 방법으로 돌(비석)을 쓰러뜨리는 놀이입니다. 비석치기의 유래에 대해서는 다양한 이야기들이 있는데 그 중에는 원망스러운 비석에 대한 화풀이에서 시작되었다는 주장이 있습니다. 백성들이 원망했던 비석, 바로 선정비(善政碑) 또는 불망비(不忘碑)입니다.

마음을 새기다

　선정비*란 말 그대로 좋은 정치를 펼친 지방 수령의 덕을 칭송하기 위해 세우는 비석으로 송덕비(頌德碑), 애민비(愛民碑), 영세불망비 (永世不忘碑) 등 여러 가지 형태로 전해옵니다. 쉽게 말하면 우리 마을을 위해 애쓴 관리에게 주는 일종의 감사패이지요. **목민관***에 대한 감사의 마음을 담은 선정비가 왜 뽑아내서 처버리고 싶은, 원망스러운 비석이 되었을까요?

　우리나라에서 선정비를 세우기 시작한 때는 고려 후기부터입니다. 고려 충렬왕 때 지금의 전남 순천인 승평 지역을 다스렸던 승평부사

○ **동래부사 유심 청덕선정만 고불망비(부산박물관) 매우 화려한 선정비입니다.**

***선정비** ｜ 수령의 덕을 기리기 위해 선정비 말고도 생사당(生祠堂), 만인산(萬人傘)을 만든 경우도 있습니다. 생사당은 살아 있는 사람의 사당을 세워 제사지내는 곳이었고, 만인산은 비단으로 만든 일산(양산)에 수를 놓은 것으로 바치는 대상의 직함을 새기고 참여한 사람들의 이름을 수놓아서 만들었습니다.

***목민관** ｜ 백성(民)을 기르는(牧) 관리라는 뜻으로 지방 수령을 의미합니다.

최석의 팔마비(八馬碑)가 『고려사』에 기록
되어 있습니다. 승평 지역에서는 부사가 바
뀔 때 말 8필을 바치는 전통이 있었는데,
최석이 떠나게 되자 마을 사람들이 말을 바
치고 좋은 말을 고를 것을 청했습니다. 최
석은 웃으며 사양하였으나 마을 사람들이
억지로 8필의 말을 딸려 보냈지요. 그러자
최석은 자신이 승평에 올 때 데리고 온 말
이 낳은 망아지까지 총 9마리의 말을 다시

● 팔마비(전남, 순천)(국립중앙박물관)
현재의 팔마비는 임진왜란 이후 이수광이 다시 세운 것입니다.

돌려보냈습니다. 이를 계기로 부사에게 말을 바치는 폐단이 없어졌고 고을 사람들이 최석의 덕
을 칭송하여 비석을 세우고 팔마비라 이름 하였다고 합니다.

감사인가 강요인가

● 현감 조규순 영세 불망비(전북, 정읍)
조병갑 부친의 선정비로 피향정 안에
있습니다.

조선에서도 선정비를 세운 사례를 여러 지역에서 찾아 볼 수
있습니다. 조선 후기에 들어 선정비를 건립하는 일이 많아지
자 조선 정부에서 여러 차례 선정비 건립 금지령을 내립니다.

수령이 비를 세우는 것을 금지한다.
위반하는 자는 교대한 수령이 조사하여 죄를 묻는다.

『수교집록(受敎輯錄)』

고마운 지방관을 기리기 위한 본래의 뜻에서 벗어나 백성에
게 아첨하여 비를 세운다거나 탐관오리가 거짓으로 명예를 얻
기도 하며 심지어 선정비를 세운다는 명목으로 백성들을 수탈
한다는 등의 비판이 그 이유였습니다. 선정비를 세우면서 백성
을 괴롭혔던 대표적인 사례로 조병갑이 있습니다.

동학농민운동의 출발점인 고부 농민 봉기는 당시 고부군수였던 조병갑의 탐학 때문이었습니다. 그는 자신이 수령으로 부임하는 지방마다 자기 손으로 선정비를 세웠다고 합니다. 고부군수로 재임할 때 아버지 조규순의 선정비를 세운다는 명목으로 1,000냥의 돈을 강제로 거두기도 했다지요. 탐관오리가 선정비를 세우는 것과 관련해 전해오는 우스개 소리도 있습니다. 축재(蓄財)를 일삼던 어느 과천 현감이 뇌물을 써 승진해 떠나게 되자 아전들이 비석을 세워주기로 하고 현감에게 비석의 이름을 물으니 현감이 알아서 정하라고 했습니다. 현감이 떠나는 날 비석을 제막했더니 거기에 '금일송차도(今日送此盜 : 오늘 이 도둑을 보낸다)'라고 써 있었습니다. 그걸 본 현감이 옆에다가 '명일래타적(明日來他賊 : 내일은 다른 도둑이 오겠네)'라고 쓰고 떠났습니다. 그러자 아전이 '차도래부진(此盜來不盡 : 이 도둑들이 끊임없이 오는구나)'라고 한 줄 더 보태자 이번엔 지나가던 사람이 덧붙이길 '거세개위도(擧世皆爲盜 : 온 세상이 다 도둑일세)'라고 했다고 합니다.

선정비의 진실은?

조정의 금지령에도 불구하고 선정비는 계속해서 세워졌습니다. 특히 사회의 혼란함이 매우 극심했던 19세기 헌종, 철종, 고종 대에 선정비의 수는 급증합니다. 이 시기는 **삼정(三政)***이 문란해져 지방민들의 조세 부담이 과중해졌고 전국 각지에서 민란(民亂)이 발생하던 때였습니다. 따라서 선정비의 진실성에 대해 신뢰할 수 없다는 견해가 일반적이었습니다.

그런데 남아있는 선정비를 분석해 본 결과, 선정비의 대상이 된 인물들 가운데는 실제로 특별한 공이 있는 인물들도 꽤 많다는 연구 결과물들이 있습니다. 경기도 안성과 죽산, 과천 지역의 선정비를 조사해 보

○ 철종 어진(국립고궁박물관)

---

*삼정(三政) | 조선 후기 국가 재정의 근간으로 전정(田政)은 토지에 부과하는 세금, 군정(軍政)은 군역을 대신하여 납부하던 포를 의미합니다. 환곡(還穀)은 원래 구휼제도로 실시되던 것이었으나 환곡의 이자를 관청 재정으로 사용하면서 세금처럼 부과되었습니다.

앗더니 50% 정도의 비석은 진위 여부를 판단하기가 어려웠고, 청백리로 추천되거나 훌륭한 목민관으로 조정의 인정을 받은 경우와 나름대로 선정의 흔적이 보이는 경우가 전체의 46%였습니다. 인천 지역과 경기도 광주 지역 선정비의 주인공들 역시 선정을 베풀었다고 인정을 받을 만한 경우가 다수 확인되었습니다.

그렇다면 왜 하필 헌종, 철종, 고종 연간에 선정비의 수가 급증하게 되었을까요? 그 이유를 선정비의 내용을 통해 추측할 수 있습니다. 선정비에는 주인공의 선정 내용이 기록되는데, 해당 지역 주민의 조세 부담을 덜어준 공으로 선정비를 세운다는 내용이 많았습니다. 앞서 말했던 것처럼 19세기 헌종, 철종, 고종 대에는 삼정의 문란이 매우 극심했던 시기로 지방민들은 과중한 조세 부담에 허덕이고 있었습니다. 이에 지방의 수령들이 지역 주민의 세금 부담을 일시적으로나마 덜어주고 선정비를 세운 경우가 늘어났다고 볼 수 있습니다.

이러한 과정에서 뚜렷한 선정의 공이 없더라도 세금을 조금 감면해주고 선정비를 세우는 일이 흔해졌습니

◆ 홍천철비(문화재청)
홍천 현감을 지낸 원만춘의 덕을 기리는 선정비입니다. 철로 제작된 선정비로 현존하는 것 중 가장 오래된 것입니다. 현재는 홍천 사료관에 전시되어 있습니다.

다. 19세기에 선정비가 가장 많이 세워진 것은 그만큼 사회가 가장 혼란했기 때문인 셈입니다. 매관매직(賣官賣職)으로 인한 문제가 심각했던 고종 대에 우수한 지방관에 대한 포상이 자주 행해졌고 그 수도 많았다는 사실 또한 같은 맥락에서 이해할 수 있습니다.

선정비와 관련해 또 하나 주목해 볼 사실은 중앙 조정과 지방민의 상반된 입장이 나타나기도 한다는 점입니다. 1857년(철종 8) 죽산 부사로 재임했던 이일우는 조정에서 누락된 세금 5,700여 냥을 독촉하자 세금이 누락된 이유는 비변사의 폐단 때문이라는 상소를 올렸습니다. 정부에서는 3,700여 냥의 세금을 탕감해 주었으나 이일우는 이 일로 파면되었습니다. 그가 파면된 후 죽산 주민들은 선정비를 세워 주었습니다. 조정에서 요구하는 수령의 역할은 세금을 잘 걷는 것이지만 지방민이 바라는 수령의 역할은 그 반대였던 거지요.

비석에 새긴 민(民)의 마음

  선정비를 세운 목적은 기억하기 위함입니다. 우리를 위해 애써준 좋은 관리를 오래도록 기리기 위해 세우는 것이 선정비이지요. 앞서 말한 이일우는 비록 파직 당했지만, 죽산 주민의 기억에 그의 선정은 오래 기억되었을 겁니다. 올바르지 못한 기억의 대상들은 그에 걸맞은 대접을 받았습니다. 탐관오리가 떠나고 나면 비석에 침을 뱉거나 돌을 던지기도 하고 아예 뽑아내어 개울을 건너는 다리로 쓰기도 했습니다. 원망스러운 비석에 대한 화풀이는 비석치기라는 놀이로 표현되었습니다. 선정비에는 백성의 마음이 새겨져 있습니다. 과연 그 마음은 무엇이었을까요?

❂ **화순 마애선정비군(전북, 화순)**
  선정비는 바위에도 새겼습니다. 바위에 새긴 것을 마애비라 하는데 이곳에는 많은 선정비가 여러 형태로 있습니다.

08 외규장각 도서는 어떻게 돌아왔나요?

〈장재윤〉

✿ 외규장각

서양 제국주의, 군함과 대포 앞세워 문을 두드리다

1866년. 어린 고종 임금 대신 나랏일을 하던 흥선대원군이 천주교 탄압령을 대대적으로 내립니다. 천주교 신자들을 잡아들여 죽이고 국내에 들어와 있던 프랑스인 천주교 선교사 12명 가운데 9명을 처형합니다. 병인박해 입니다. 살아남은 선교사 3명이 탈출하여 청나라에 주둔하던 프랑스 함대에 이 사실을 알렸고, 로즈 사령관은 대규모 병력을 끌고 조선에 쳐들어옵니다. 서양 열강이 처음으로 조선을 군사적으로 침략한 것입니다. 이를 병인양요(1866년)라 합니다.

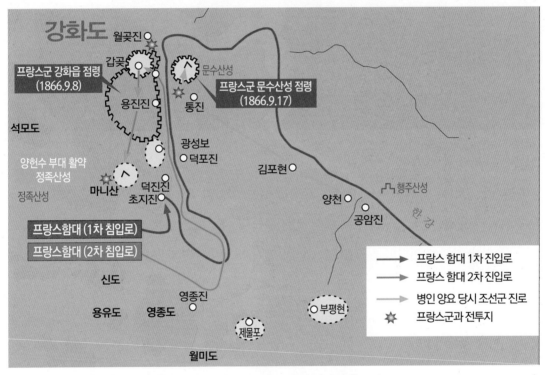

○ 병인양요의 전개(장득진 외, 『참 한국사 이야기』 권4 근·현대, 주류성에서 전재)

프랑스군은 1차로 강화해협을 거쳐 한강을 거슬러 올라가 서울에 닿는 수로를 정찰합니다. 이때 프랑스군은 병력을 1,500명에서 2,000명 정도 동원하면 서울을 무난히 손에 넣을 수 있다고 판단했습니다. 이어서 2차로 군함 7척, 병력 1,520명, 대포 66문을 동원하여 쳐들어와서는 강화도에 상륙했습니다. 목표는 '서울 진출'이었습니다. 강화도를 점령하여 교두보를 확보하고 한강을 따라 서울까지 진격하려는 속셈이었지요.

○ 양헌수 승전비(인천, 강화)

　조선군은 열심히 싸웠지만 너무 낡은 무기를 들고 있었기에 프랑스군에게 속수무책으로 당했습니다. 프랑스군은 갑곶진과 문수산성을 점령하여 강화도를 빠르게 장악하고 수도를 위협합니다. 이에 강화도 건너편에 진을 치고 있던 양헌수 장군은 부하 600명을 데리고 밤중에 몰래 강화해협을 건너 정족산성에 들어가 농성에 들어갔습니다.

　프랑스군은 조선군을 얕잡아보고 160명의 병력을 보내 정족산성을 공격했으나 조선군의 강력한 저항에 많은 병력을 잃고 후퇴합니다. 이때 프랑스군은 전사 6명 포함 80명의 사상자를 냈으나 조선군은 전사 1명 부상 4명뿐이었다고 합니다.

　정족산성 전투에서 패한 프랑스군은 조선 침략을 포기하고 강화도를 떠납니다. 하지만 그들은 얌전히 돌아가지 않았습니다. 강화도는 조선 시대 주요 방어 거점이라 중요한 건물들이 많았습니다. '외규장각'도 그 가운데 하나였습니다. 정조 때 창덕궁에 왕실도서관으로 '규장각'을 세웠는데요, 강화도에는 외규장각을 세워 왕실에서 소중하게 여기는 물품들을 따로 보관했지요. 프랑스군은 그 외규장각을 무자비하게 약탈합니다. 책 1천여 종 총 6천책 가운데 340권과 은덩어리 19상자를 빼앗아가고 나머지는 건물과 함께 불태워버립니다.

🔘 강화부 갑곶진에 정박한 프랑스군 함대(1866년)

납치된 아이

　프랑스군이 가져간 책 가운데 가장 많았던 건 『조선 왕실 의궤』로 총 297권이었습니다. 의궤는 국왕·왕비·세자 책봉, 왕실 결혼 같은 국가 행사의 준비 과정과 진행 절차를 정교한 그림에 설명을 덧붙여 자세하게 기록한 책입니다. 조선 왕조가 남긴 기록 문화의 핵심 가운데 하나라고 할 수 있지요.

🔘 어진도사 도감 의궤(한국학중앙연구원 장서각)
고종 황제와 황태자의 초상을 제작한 내용이 들어있는 의궤로 어람용 의궤입니다.

　의궤에는 어람용 의궤(왕이 직접 보는 의궤)와 일반 의궤(신하들이 보는 의궤)가 있습니다. 프랑스군이 가져간 외규장각 의궤는 일반 의궤가 아니라 어람용 의궤였습니다. 표지와 제본 방식, 종이 재질, 글자와 그림에서 일반 의궤와 수준이 다른 귀중품이었습니다. 녹색 고급 비단 표지로 책을 감싸고 끈으로 묶지 않고 놋쇠 못을 박아 책을 엮었지요.

　이렇듯 외규장각 의궤는 내용을 잘 모르고 봐도 무척 고급스럽고 가져가면 '돈이 될 것 같은' 매력을 풍기는 물건이기도 합니다. 프랑스군이 하필 의궤를 집중적으로 골라 가져간 건 이 때문이었지요. 이렇게 빼앗긴 의궤를 조선 정부는 끝내 돌려받지 못합니다. 아마 외규장각과 함께 불타 없어졌다고 생각했던 듯합니다.

잃어버린 의궤를 백 년 만에 발견하다

프랑스에 있던 외규장각 의궤를 다시 찾아낸 건 1987년이었습니다. 백 년이 넘는 시간이 흐른 뒤였지요. 이 일을 해낸 사람은 프랑스로 유학 가서 도서관 사서로 일을 하던 박병선 박사입니다.

○ 직지심체요절(프랑스 파리 도서관)

박병선 박사는 프랑스국립도서관에서 일하면서 1972년에 『직지심체요절』*이 세계에서 최초로 금속활자로 인쇄한 책이라는 사실을 밝혀낸 사람이기도 합니다. 그는 어느 날 도서관 구내식당에서 동료들과 밥을 먹다 외규장각 의궤가 프랑스국립도서관에 있다는 것을 우연히 알게 되었고 결국 의궤를 찾아내는데 성공했습니다. 가슴 아프게도 의궤가 있던 곳은 망가진 책들을 따로 넣어두는 건물이었다고 합니다.

프랑스 국립도서관은 의궤를 찾아낸 박병선 박사를 해고해 버립니다. 도서관을 나온 뒤에도 박병선 박사는 프랑스와 유럽 지역에 있는 한국 자료를 모아서 연구하는 일을 계속하면서 1985년에 외규장각 의궤 297권을 소개하는 『조선조의 의궤』를 펴냅니다. 이에 조선시대 규장각 도서를 관리하는 서울대학교 규장각이 한국 외무부에 외규장각 도서 반환 교섭을 요청하였고, 외무부가 1992년에 프랑스 정부에 정식으로 반환 요청을 하면서 양 나라 사이에 협상이 시작됩니다.

*직지심체요절 | 『직지심체요절』과 외규장각 도서 두 가지에 박병선 박사가 모두 관여했다는 사실 때문일까요? 때때로 『직지』 또한 병인양요 때 프랑스군이 외규장각을 약탈하면서 가져갔다고 혼동하는 경우가 있습니다. 하지만 『직지』는 19세기말 초대 주한 프랑스공사로 온 꼴랭드 쁠랑시가 구입하여 프랑스로 보내진 것으로 외규장각 도서 약탈과 관련이 없습니다.

돌려주지 않으려 하는 프랑스

프랑스는 처음에 외규장각 의궤를 돌려주지 않으려 했습니다. 의궤는 이미 프랑스 정부 소유 공공재산이 되었고, 이번에 돌려주면 자기네가 갖고 있는 다른 나라 문화재도 원래 주인에게 돌려줘야 하는 선례가 될 수 있으므로 반환이 어렵다는 논리였지요.

그런데 1993년에 프랑스 미테랑 대통령이 한국-프랑스 정상회담으로 한국에 방문하면서 협상이 급물살을 타기 시작합니다. 김영삼 대통령과 미테랑 대통령은 이때 '교류와 대여 원칙'에 합의했는데요, '빌려주되' '교환'한다는 뜻입니다. 프랑스는 한국에 외규장각 의궤를 '영구적으로 대여'하며, 한국은 외규장각 의궤를 빌리는 대신에 한국에 있는 고도서를 프랑스에 빌려주기로 한 것입니다. 미테랑 대통령은 한국과 프랑스 사이 우호 관계가 단단해지기를 기원하며 외규장각 의궤 한 권을 한국에 돌려주고 돌아갔습니다. '반환'이 아니라 '대여'라는 점이 아쉬웠고 외규장각 의궤 대신에 프랑스에 무슨 책을 보내야 할 지를 정해야 하는 문제가 남았지만, 뻣뻣하게 나오던 프랑스가 이만큼 물러섰다는 것은 분명히 큰 성과였습니다.

의궤 대신 고속철도?

프랑스의 태도 변화는 무척 놀라운 일이었습니다. 그래서 그 배경을 두고 이런저런 말이 많이 나왔는데요. 경부고속철도(KTX)에 프랑스의 떼제베(TGV) 열차를 도입하는 대신 외규장각 의궤를 받기로 약속했다는 이야기가 가장 널리 알려져 있습니다. 실제로 그때쯤 고속철도 열차 선정 절차가 진행되고 있기도 했고요.

하지만 이 이야기는 부풀려진 소문에 가깝습니다. TGV를 KTX에 도입하는 문제는 미테랑 대통령이 한국을 방문하기 전에 이미 정해진 상태였다고 합니다. 외규장각 의궤 문제를 정상회담에서 다루기 전에 KTX 열차 선정이 이미 끝나있었던 것이지요. 거대한 국가사업을 문화재 반환 문제와 연결하여 협상한다는 건 상식에 어긋나는 일이기도 합니다. 공식적으로 알려지지 않은 뒷이야기가 있을지도 모르지만 말입니다.

유괴된 아이를 찾아오는 대신 다른 아이를 내어줄 것인가

안타깝게도 협상은 그 뒤로도 무척 오랜 시간 끌게 됩니다. 프랑스가 '교환 조건'을 너무 무리하게 내건 탓이 컸습니다. 프랑스는 교환 원칙으로 '등가교환'을 고집했습니다. 프랑스에 있는 외규장각 의궤(어람용 의궤)와 한국에 있는 의궤(일반 의궤)를 맞바꾸자는 것이었지요.

정부가 이 조건을 받아들이려고 하자 학계에서 거세게 반발합니다. 빼앗긴 문화재를 찾아오면서 우리 문화재를 내어준다는 건 '유괴된 아이를 찾아오는 대신 다른 아이를 내어주는 것'이었기 때문이지요. 프랑스가 내건 조건은 끝내 받아들여지지 않았습니다.

협상은 마침내 2010년에 마무리되었습니다. 1992년에 외교 교섭을 시작한지 거의 20년 만이었습니다. 2010년에 서울에서 열린 G20 정상회의 때 한국 대통령과 프랑스 대통령이 외규장각 의궤 반환을 '5년 단위 갱신가능 일괄대여' 방식으로 진행하기로 합의한 것입니다. '5년 갱신 대여'라는 점이 아쉽지만 '교환'이 빠진 건 예전보다 앞으로 더 나아간 부분이었습니다. 2011년에 외규장각 의궤 296권이 한국에 돌아왔습니다. 1993년에 돌아온 한 권을 포함하여 297권을 모두 되찾은 것입니다. 1866년에 납치된 의궤는 145년 만에 이렇게 다시 돌아왔습니다.

남겨진 문제들

하지만 이렇게 이루어진 '의궤의 귀환'을 두고 걱정하는 사람들이 많습니다. 먼저 '5년 단위 갱신' 조항이 문제입니다. 5년마다 한 번씩 양국의 외교 채널을 통해 의궤를 새로 빌려야 한다는 것인데요. 정부는 프랑스가 한 번 돌려준 문화재를 다시 가져갈 일은 없으며 사실상 자동적으로 5년마다 계약이 갱신되므로 영구 임대와 같다고 설명합니다만 원칙적으로 아쉬움이 많이 남는 부분이기도 합니다. 외규장각 의궤를 국내에서 활용할 때 프랑스의 간섭과 제한을 받을 수 있다는 문제를 지적하기도 합니다. 가장 근본적인 문제는 의궤가 '반환'되지 않고 '대여'되었다는 점일 것입니다. 외규장각 의궤는 우리 것이니까 당연히 돌려받아야 합니다.

하지만 정치·외교의 냉혹한 현실 앞에서 원칙을 굳게 지키는 건 생각보다 어려운 일입니다. 한국과 프랑스의 국력 차이, 약탈 문화재 처리의 국제적 관례와 같이 현실적으로 고려해야 할 문제가 무척 많습니다. 의궤를 '반환'이 아니라 '대여'하기로 한 것은 한국과 프랑스가 외교적으로 나름대로 중간을 찾은 결과일 것입니다. 우리는 이렇게 빼앗긴 문화재 하나를 다시 우리 땅에 찾아왔습니다. 절반의 성공은 거둔 셈입니다.

아직 해외로 납치되어 돌아오지 못한 아이들, 소중한 문화재가 20개 나라에 168,330점이나 있습니다. 아직 약탈 문화재 반환에 대해 강제력 있는 국제 협약이 따로 없어서 개별 정부끼리 협상해서 이 문제를 풀 수밖에 없다고 합니다. 그들이 언젠가는 모두 부모 품에 돌아올 수 있기를 바랍니다. 그러기 위해서 우리 모두 관심을 지속적으로 가져야겠지요.

더 찾아보기

• 문화재청 홈페이지, 『직지심체요절』의 진면모를 밝힌 박병선 박사

• 국립중앙박물관 외규장각 의궤 소개 페이지

• 국외소재문화재재단

일제강점기
~ 대한민국 Ⅳ

서대문 형무소 옥사(서울, 서대문)
일제 강점기 수많은 독립운동가들이 수감되어 고충은 겪은 곳입니다. 특히, 3·1만세운동의 주역 유관순이 순국하였습니다.

광주 학생 항일 운동 기념탑(광주)

01 독립운동가와
그 가족의 삶은 어떠했나요?

〈신지영〉

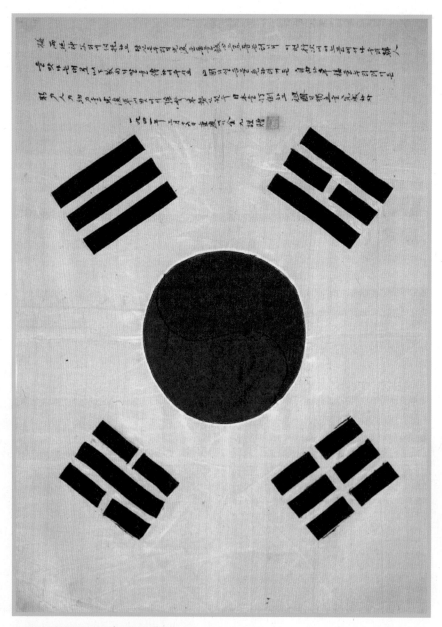

✤ 김구 서명문이 담긴 태극기(문화재청)

그 날이 오면 그 날이 오면은

삼각산이 일어나 더덩실 춤이라도 추고

한강 물이 뒤집혀 용솟음 칠 그 날이

이 목숨이 끊기기 전에 와 주기만 할양이면

나는 밤하늘에 나는 까마귀와 같이

종로의 인경을 머리로 들이받아 울리오리다.

두개골은 깨어져 산산조각이 나도

기뻐서 죽사오매 오히려 무슨 한이 남으오리까.

– 심훈, 「그날이 오면」

시에 등장하는 화자(話者)는 기쁨에 넘쳐흐를 '그 날'을 애타게 기다리고 있습니다. '그 날'이 오기만 한다면 자신의 머리가 깨져 죽어도 기쁠 것이요, 자신의 가죽을 벗겨 북을 만들어 치더라도 기꺼이 받아들일 것이라고 노래합니다. 시의 화자가 그토록 바랐던 '그 날', 바로 대한 독립의 그 날입니다. 시적 화자의 말처럼 자신의 모든 것을 나라의 독립과 바꿀 각오로 헌신한 사람들이 있습니다. 대한 독립을 위해 자신을 내던진 독립운동가들입니다.

대한민국 사람이라면 누구나 독립운동가 이름 하나쯤은 말할 수 있을 것입니다. 독립운동가들의 활약상을 학교 수업 시간에 배우기도 하고 영화나 드라마 등 영상매체를 통해 접하기도 합니다. 그러나 독립을 위한 투쟁의 길에 들어선다는 것은 말처럼 쉬운 일이 아니었습니다. 자기 자신만이 아니라 가족의 안위까지도 위협받는 일이 부지기수였습니다.

나의 소원은 대한의 완전한 자주독립

서대문 형무소에 복역하면서 청소를 할 때면, 언제가 되었든 우리의 독립 정부를 건설하여 그 집의 뜰을 쓸고 창문 닦는 일을 해보고 죽게 해 달라고 기도하였던 백범 김구. 그는 3·1 운동 이후 상하이로 건너가 대한민국 임시정부의 문지기가 되기를 청원한 것을 시작으로 1945년 해방이 되는 마지막 순간까지 대한민국 임시정부와 함께 했습니다. 이봉창, 윤봉길 의사의 활약으로 잘 알려진 한인애국단이나, 2차 세계대전 중 미국과 연합 작전을 추진했던 한

● 서대문 형무소 망루와 담장

국광복군 등 임시정부의 다양한 활동 뒤에는 김구 자신의 표현처럼 '거지나 다름없이 끼니도 제때 해결하지 못하면서도' 독립을 위해 애쓴 이들이 있었습니다. 대한민국 임시정부가 처음 수립되었을 때는 각계각층 인사들이 임시정부의 활동에 참여하였고 물질적인 지원도 많았습니다.

그러나 이념과 투쟁 노선 등의 차이로 임시정부 내에서의 입장 차이가 커지고 많은 독립운동가들이 임시정부를 떠나자 점차 임시정부의 활동은 약화되었습니다. 임시정부 내에서 총장

● 한국광복군 총사령부

● 상하이 임시정부의 김구 집무실(중국, 상하이)

이나 차장 직함을 가지고 있던 사람 중 일부는 일제에 투항해 버리는 일도 있었습니다. 침체된 임시정부를 가장 어렵게 했던 것은 경제적 곤란이었습니다. 상하이에서 김구는 부인 최준례 여사와 어머니 곽낙원 여사 그리고 인, 신 두 아들까지 다섯 식구와 작은 방 하나에서 살았습니다. 형편이 어려워 끼니를 잇기가 힘들었던 김구의 가족은 중국 사람들의 쓰레기통을 뒤져 배춧잎을 주워다가 반찬을 만들어 먹곤 했습니다. 제대로 끼니를 잇지 못하는 날들이 계속되면서 부인의 건강은 나날이 나빠져만 갔고 폐결핵까지 앓게 되었습니다. 둘째 아들을 낳은 후에는 실족하여 거동조차 하지 못하는 지경에 이르렀습니다. 병세가 심각해지자 외국인 선교회 계통의 무료 병원에 입원하지만 부인은 끝내 숨을 거두고 말았습니다.

김구는 부인이 위독한 상황에서 병원을 방문할 수조차 없었습니다. 당시 김구는 일본의 영향력이 미치지 못하는 프랑스 **조계지***에 머물렀는데, 병원은 프랑스 조계지 밖에 있었기에 조계지 밖을 벗어나면 일본 경찰에 체포될 위험이 컸기 때문입니다. 결국 김구의 어머니가 와서야 부인의 시신을 수습하고 장례를 치를 수 있었습니다.

타국에서 흘린 피와 눈물들

부인이 죽은 후 아이들과 어머니를 고국으로 돌려보내고 김구는 홀로 중국 땅에 남아 임시정부의 활동을 이끌어 나갔습니다. 김구는 직장을 가진 동료의 집에 밥을 얻어먹으러 다니곤 했는데 특히 정정화 선생의 집에서 끼니를 해결하는 때가 많았습니다. 정정화는 시아버지 김

***조계지** | 한 나라가 다른 나라에 일시적으로 빌린 영토로 외국인이 행정자치권이나 치외법권을 가지고 거주한 지역. 당시 중국에는 여러 나라의 조계지가 설정되어 있었습니다.

가진과 남편 **김의한***이 독립운동을 위해 만주로 망명하자 두 사람을 뒷바라지하겠다며 1920 년 스무 살 젊은 나이에 홀로 상하이로 건너간 이후 줄곧 임시정부의 안살림을 도맡아 왔습니다. 임시정부의 활동 자금 마련을 위해 6차례나 국경을 넘어 국내에 잠입하다가 일본 경찰에 의해 체포되기도 하였지요.

● 정정화 선생 묘소(대전 현충원)

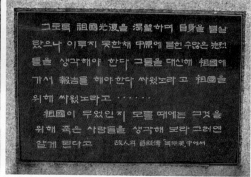
● 정정화 선생 비문

시아버지 김가진이 죽은 후 장례식 부의금도 독립운동 자금으로 보탰을 정도로 정정화의 가족은 나라의 독립을 위해 헌신하였고 그 과정에서 안타까운 희생도 있었습니다. 김의한의 동생 김용한은 정정화를 배웅하기 위해 상하이에 동행하고 귀국하는 길에 우연히 김상옥과 한 배를 타게 되었습니다. 김상옥의 종로 경찰서 폭탄 투척 의거가 일어나자 일본 경찰은 김용한이 여기에 연루되었다며 체포, 심한 고문을 가했습니다. 가혹한 고문으로 정신 이상 증세를 보이게 된 김용한은 스스로 목숨을 끊는 선택을 하고 말았습니다.

김의한과 정정화는 중·일전쟁 이후 임시정부와 함께 피난길에 올랐습니다. 상하이를 떠나 난징, 광저우를 거쳐 내륙의 충칭에 이르는 기나긴 피난길이었지요. 피난 가는 동안 배 위에서 몇 달을 지내며 삼시세끼를 배에서 해결하기도 하였고 기차를 타고 가다 일본군의 공습을 만나 생명의 위협을 겪기도 했습니다. 다행히 두 사람은 살아서 독립의 기쁨을 누릴 수 있었습니다만, 끝내 독립을 보지 못하고 생을 마감한 독립운동가도 많았습니다.

***김의한** | 김의한은 상하이에 있던 유학생 심대섭과 친분이 두터웠는데 그가 바로 앞서 소개한 시 「그날이 오면」의 저자 심훈입니다.

부와 명예를 뒤로하고 독립을 위해 나서다

◎ 이회영

한국의 노블레스 오블리주(noblesse oblige)를 이야기할 때면 빠짐없이 나오는 가문이 있습니다. 바로 우당 이회영 일가입니다. 이회영과 여섯 형제 가운데 살아서 독립을 맞이한 이는 다섯째 이시영 단 한 명뿐이었습니다. 나머지 형제들은 병들어 죽거나 행방불명되었고 굶어 죽은 이도 있었습니다. 우리에겐 오성으로 잘 알려진 경주 이씨 이항복의 후손으로 대대로 명문가이자 상당한 재산을 가지고 있었던 이회영 일가는 1910년 12월 모든 재산을 처분하고 다 같이 서간도로 떠났습니다. 김원봉을 비롯한 많은 독립군을 배출해 낸 신흥무관학교를 비롯하여 여러 독립운동 거점을 마련하는 데 전 재산을 쏟아 부었지요.

◎ 신흥무관학교 100주년 기념 우표

◎ 이회영 선생의 모자와 신발(독립기념관)

이회영 집안 대대로 내려온 재산도 상당했지만 둘째인 이석영이 같은 집안 이유원의 양자로 들어가면서 막대한 재산을 물려받게 되었습니다. 이유원의 집이 있던 경기도 남양주시에서부터 서울 동대문에 이르기까지 남의 땅을 밟지 않고 다녔다는 기록이 남아있을 정도니 이회영 일가가 실로 엄청난 부호였음을 알 수 있습니다. 그러나 남의 나라에서 독립운동을 하는 일이 결코 쉽지 만은 않았습니다. 처음 서간도에 정착할 무렵에는 일본과 한통속일 것이라 오해한 중국인들의 배척이 심해 가옥과 전답을 매매하는

◯ **효창공원 삼의사 묘역**
  제일 왼쪽의 비석이 없는 무덤은 안중근 의사를 위한 임시 무덤입니다. 아직까지 안중근 의사의 유해는 찾지 못했기에 임시 무덤으로 남아 있습니다. 비석이 있는 세 개의 무덤은 왼쪽부터 차례대로 이봉창, 윤봉길, 백정기 의사의 무덤입니다.

데 어려움을 겪었습니다. 마적떼의 습격으로 이회영의 부인 이은숙 여사는 총에 맞았고, 둘째인 이석영은 마적들에게 납치되었다가 몸값을 지불하고 겨우 풀려나기도 했습니다. 전염병으로 자식과 손자를 잃기도 했습니다. 많은 재산을 지닌 이회영 일가였지만 독립운동을 이어나가면서 자금은 소진되고 지독한 가난만이 남게 되었습니다.

　북경에 거주하던 시절에는 잘해야 하루 한 끼를 먹을 수 있었고 그마저도 어려워 한 달의 반 이상을 굶는 날들이 이어졌지요. 명예와 부를 누리던 명문가 양반이 무일푼 노인이 되어 배고픔을 참는 모습을 바라보면 가슴이 미어졌다고 이은숙 여사는 회고했습니다. 많은 재산을 독립운동을 위해 바쳤던 이석영 또한 굶어 죽고 말았습니다. 이회영은 다롄에서 일본 경찰에게 체포되어 조사를 받던 중 숨을 거두었습니다. 그를 일본 경찰에게 밀고한 것은 바로 조카인 이규서였습니다. 결국 이규서는 백정기 의사를 비롯한 독립운동가들에 의해 처단되었습니다.

대한독립만세

우리에게 잘 알려진 독립운동가 이외에도 수없이 많은 무명의 독립운동가들이 고초를 겪으며 독립을 위해 헌신했습니다. 독립운동가들은 대체 왜 그리도 힘든 길을 걷고자 한 것일까요? 김구는 말했습니다. 나라는 내 나라요, 남들의 나라가 아니므로 독립은 내가 하는 것이지 따로 어떤 사람이 하는 것이 아니라고. 이회영은 일가 친척들에게 서간도로 떠나 독립활동에 나서는 것이 망국의 사대부로 국가에 속죄하는 일이며 선열의 영혼에 감사하는 것이요 동시에 내일의 자주민이 되는 훈련이라고 이야기했지요. 일제의 강점에서 벗어난 오늘날, 누군가는 이야기합니다. 언제까지 과거에 매어있을 것이냐고, 미래를 향해 가야 한다고, 조상의 과오를 그 후손들에게 물어선 안 된다고. 그러는 새 우리는 독립운동가들의 희생을 잊어가고 있는지도 모르겠습니다.

❂ **대한독립군 무명 용사 위령탑(서울, 동작 국립현충원)**

더 찾아보기

• 잊혀진 이름, 여성독립운동가 3편 : 대한민국 임시정부, 그리고 정정화

02 군함도는 어떤 곳이었나요?

〈장재윤〉

✿ 군함도

피비린내 나는 '세계유산'

2015년은 무척 뜨거웠습니다. 여러 일이 많았지만 한·일 과거사 문제에서도 진통이 컸던 한 해였습니다. 일본 정부가 자기네 산업 시설물 일부를 유네스코 세계유산에 '메이지 일본의 산업혁명유산'으로 등재하려 했기 때문이지요.

일본은 19세기 말에서 20세기 초에 만든 철강·조선·석탄 같은 중공업 시설들을 '비서구권 국가에서 처음 일어난 산업혁명의 증거'로 내세우며 보편적으로 기념할 만한 세계유산이라고 주장했습니다. 신청한 규모도 거대해서 몇 개 지방에 걸쳐있습니다. 그런데 일본이 이들 산업 시설을 '유네스코 근대 산업유산'으로 등재하려 하자 한국·중국과 같이 과거 일본에 침략당한 나라들이 분노했습니다. 어떤 사정이 있었던 것일까요?

일본은 메이지 유신 이후 '경이로운' 속도로 근대 산업 국가로 탈바꿈했습니다. 하지만 그걸 가능하게 한 건 침략적 대외 팽창이었습니다. 청·일전쟁 같은 침략 전쟁에서 받은 배상금으로 산업 시설을 세우고 식민지 조선을 잔인하게 수탈하여 자본을 살찌웠지요. 그들이 '세계유산'으로 전 세계에 내보이려고 하는 근대 시설물에는 식민지와 침략당한 나라 사람들이 흘린 피눈물이 서려있는 것입니다. 이번에 유네스코 세계유산에 등재 신청한 근대 시설들은 대부분 전쟁 무기와 군수물자를 만들었던 시설이기도 합니다.

무엇보다 큰 문제는 일본 정부가 과거에 저지른 전쟁 범죄를 제대로 반성하고 피해를 배상한 적이 없었으며, 앞으로도 그럴 가능성이 매우 낮다는 사실입니다. 일본 정부는 유네스코에 등재 신청을 하면서 자기네 시설들이 '근대 산업유산'이라는 점만 강조했지 '전쟁 시설'이었다는 사실은 말하지 않았습니다. 더 나쁜 건 분명히 '강제 동원'이 이루어진 곳임에도 일본은 이 사실을 인정하지

◉ **전범 기업 미쓰비시**

않은 채 유네스코 세계유산 등재 신청을 했다는 사실입니다.

등재 신청한 시설 가운데 스미토모, 미쓰이, 미쓰비시 같은 거대 재벌이 세운 곳이 많습니다. 그들은 전쟁 시기에 앞장서서 무기와 군수물자를 만들어 배를 불리고 덩치를 키운 대표적인 '군수 재벌'입니다.

나가사키 반도에 퍼져있는 미쓰비시 소유 시설들에는 무척 가슴 아픈 사연이 있습니다. 나가사키의 미쓰비시 조선소는 어뢰와 군함을 셀 수 없이 만들다 원자폭탄을 맞았습니다. 조선인 약 6천 명이 그곳에 끌려가서 일하다 원폭 피해를 입었다고 합니다.

그리고 나가사키 앞바다에는 '군함도'라는 섬이 있습니다. 군함도에는 사람들이 강제로 동원되어 비참하게 일하다 죽어갔던 탄광이 있습니다. 그곳 또한 미쓰비시가 운영하던 탄

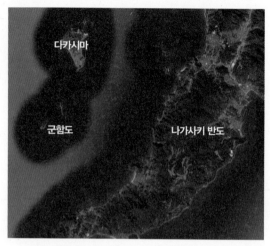

● 나가사키 반도와 군함도

광이었습니다. 그곳에서 조선인 수백 명이 영문도 모른 채 끌려가서는 군수 재벌의 배를 불리고 전쟁에 필요한 석탄을 캐다가 죽어나갔습니다.

광기의 시대

1931년 만주사변으로 만주를 장악한 일본은 1937년에 중·일전쟁을 일으켜 중국 본토까지 쳐들어갔습니다. 일본군은 금방 끝날 전쟁이라 보고 뛰어들었지만 이 전쟁은 생각만큼 빨리 끝나지 않습니다. 생각했던 것보다 중국은 거대한 나라였습니다. 땅은 무척 드넓었고 중국인들은 끈질기게 저항했지요.

전쟁이 예상보다 길어지니 쌀과 물자와 노동력이 부족해졌습니다. 게다가 일본 군부가 미국의 경제봉쇄에 대항해서 태평양 전쟁까지 일으키면서 전세는 일본에게 더욱 절망적으로 상황이 바뀌어갑니다. 전쟁을 계속 확대하면서도 전쟁을 뒷받침할 물자가 부족해지는 문제를 풀 뾰족한 방도를 마련해 둔 것은 아니었기 때문이지요.

일본 정부는 이 총체적 난국을 폭력적이지만 무척 간편한 방법으로 해결하려고 합니다. 1938년에 '전시총동원법'을 선포하고는 여러 가지를 강제로 걷어가기 시작합니다. 쌀과 여러 가지 물자를 '공출'하고 노동력은 '동원'했습니다. 쉽게 말하면 빼앗아가고 끌고 갔다는 이야기입니다. 일본 본토뿐만 아니라 식민지 조선도 이를 피해갈 수 없었습니다. 이 모든

● 엄중한 감시하에 강제노동을 하고 있는 징용된 사람들

폭력 행위가 당시에는 모두 '합법'이었습니다. 전쟁을 일으킨 몇몇 권력자의 탐욕을 채우기 위해 모든 사람이 아무렇지도 않게 희생양이 되는 그런 시대였습니다.

일본은 처음에는 일할 사람을 민간업자들이 '모집'하는 방식으로 부족한 노동력을 채우려 했지만 잘 되지 않습니다. 어느 날부터 관청이 직접 모집해서 데려가기 시작하더니 1944년부터는 마침내 '징용'이라는 이름으로 사람들을 마구잡이로 끌고 가게 됩니다. 일할 뜻이 있는지 없는지는 전혀 고려하지 않았습니다. 그저 필요하니까 끌고 갈 뿐이었지요. 필요한 곳에 부품을 끼워 넣듯 사람을 이리저리 끼워 넣게 된 것입니다. 그야말로 '강제동원'이었습니다. 강제동원은 조선의 산업 시설과 일본 산업 시설에서 모두 이루어졌습니다. 1945년까지 조선 내 시설에 동원된 조선인은 대략 450만 명, 일본으로 끌려간 조선인은 72만 명에 이릅니다.

지옥섬

'하시마'라는 작은 섬에도 1943년에서 1945년 사이 500~800명의 조선인이 끌려갔습니다. 비참한 노동조건과 열악한 작업환경, 비위생적인 생활환경, 탈출 시도 실패 같은 이유로 하시마 탄광에서 적어도 134명의 조선인이 죽었다고 합니다. 134명이라는 숫자는 공식적으로 알려진 수치라서 희생자가 실제로 훨씬 더 많을 수도 있다고 합니다.

히시마 탄광은 근대 일본의 산업화를 떠받친 기둥입니다. 1890년대부터 미쓰비시가 개발하기 시작했고 1960년대에 영업을 중단할 때까지 한 해 생산량이 수십만 톤에 이르는 대표적인 석탄 광산이었습니다. '잘 나가는' 탄광이라서 광부들이 모여 들었습니다. 기껏해야 야구장 2개 크기 밖에 안 되는 작은 섬에 5천 명이 넘게 살았다고 하니 엄청난 인구밀도를 자랑했던 셈입니다. 미쓰비시는 광부와 가족들이 생활하는 공간으로 이런저런 고층건물들을 지었는데, 1916년에 세운 7층짜리 아파트는 일본에서 처음 지은 철근콘크리트 아파트였다고 합니다. 그 뒤로도 이런저런 고층 건물들을 다닥다닥 붙여지어서 멀리서 보면 섬이 마치 군함 같아 보인다고 합니다. 그래서 이 섬을 흔히 '군함도'라 부르게 되었지요.

군함도는 한때 무척 화려한 섬이었습니다. 아파트 같은 주거시설뿐만 아니라 학교, 목욕탕, 절, 영화관, 도박장 같은 편의시설도 모두 갖춰져 있어 도시 하나를 옮겨놓은 듯했다고 합니다. 하지만 강제로 동원된 조선인들에게 이 모든 것은 그저 신기루였을 뿐입니다. 일본인들은 고층 아파트에 살았지만 조선인들은 아파트 지하나 제방 근처 바닷물이 스며드는 허름한 수용소 건물에 갇혀 지냈습니다. 습기 차고 냄새 나는 좁은 방에서 적게는 7~8명, 많게는 10명도 넘게 생활했다고 합니다. 조선인 한 사람이 사는 주거 공간은 겨우 0.5평밖에 안되었습니다.

같은 일을 하고 있지만 일본인 광부와 조선인 광부가 받는 대우는 너무 달랐습니다. 일단 급료에서 차별을 받았고 조선인은 밥도 짐승 사료 같은 것을 먹어야 했으며 몸이 아파도 제대로 치료 받지 못하고 방치되었습니다. 때때로 일본인 관리자가 조선인 2~3명을 모두가 보는 앞에서 가죽벨트 따위의 도구로 고문하기도 했다고 합니다. 공개적으로 겁을 주려는 의도였지요.

하시마 탄광은 지하 수 백m를 파고 내려가는 해저탄광입니다. 일본인은 대체로 깊지 않고 안전한 곳에서 일하고 조선인은 지하 깊숙한 위험한 막장에서 일해야 했습니다. 막장은 천장 높이가 겨우 50~60cm밖에 안되었습니다. 누워서 탄을 캐야 했고 가스가 잘 빠지지 않아 중독 사고가 자주 일어나는 지옥 같은 곳이었지요.

조선인들은 이렇게 위험한 곳에서 일하는데도 대다수가 작업에 대한 교육도 제대로 받지 못하고 현장에 끌려갔습니다. 무슨 일을 하는지도 모른 채 끌려가서는 어떻게 일해야 하는지 배우지도 못한 채 위험한 막장에 내던져진 것이지요. 탄광에서 매몰이나 질식 사고로 사람들이 많이 죽었습니다. 안타깝게도 초기에 치료만 제대로 받았어도 살 수 있었는데 방치되어 죽음에 이른 사람이 많았다고 합니다. 뿐만 아니라 군함도에도 '위안소'가 있었는데, 위안부로 끌려와 혹사당하다 자살하거나 병으로 죽은 조선인 여성도 있었습니다. 죽은 사람의 유해도 정말 비인간적으로 '처리'했다고 합니다. 바다에 버리거나 화장해서 폐갱도에 쏟아 부었다고 합니다. 조선인 강제동원자들은 죽어서도 사람이 아니라 쓰다 버리는 소모품 취급을 받았습니다.

육지와 5km 떨어진 이 작은 섬에 끌려간 사람들은 한 번 들어가면 언제 다시 나올지 모르는 상태로 갇혀 지냈습니다. 섬 외부 출입 금지는 물론이고 가족과 연락을 주고받기도 어려웠습니다. 많은 사람들이 뗏목을 만들거나 맨몸으로 헤엄쳐서 탈출을 시도하다 파도에 휩쓸려 죽었습니다. 그나마 탈출에 성공한 사람도 육지에서 감시망에 걸려 대부분 잡혀 와서 '죽도록' 맞았다고 합니다. 야구장 2개 크기밖에 안되는 이 작은 섬에 무척 많은 사람이 살았습니다. 그리고 한때 그 섬의 밑바닥에는 살아남는 것부터 걱정해야 했던 억울한 사람들이 갇혀 지냈습니다. 그들에게 군함도는 지옥이나 다름없었습니다. 말 그대로 '지옥섬'이었습니다.

지옥섬, 유네스코 세계유산이 되다

다시 2015년입니다. 유네스코는 일본의 근대 산업 시설을 세계유산으로 등재하려면 강제동원을 포함한 모든 역사를 공개해야 한다고 요구했습니다. 이에 일본 정부는 마침내 처음으로 전쟁 기간 강제동원이 있었음을 공식적으로 인정했습니다. 그렇게 2015년에 일본의 근대 산업 시설들은 유네스코 세계유산이 되었습니다. 군함도 또한 그 가운데 하나로 '세계유산'이 되었습니다. 일본의 강제동원이 세계적으로 이슈화되고, 이번 일을 계기로 일본 정부가 강제동원 사실을 공식적으로 인정하고 나섰다는 점은 긍정적으로 평가하는 분위기였습니다.

하지만 세계유산 등재가 발표되자마자 일본 정부는 발 빠르게 강제동원 인정 사실을 번복하고 나섰습니다. 자기네가 공식 인정한 '강제동원'이라는 표현이 사실은 '강제적으로 누군가를 잡아다 일을 시켰다'는 의미와는 거리가 있다는 식으로 말이지요. 문제는 그것만이 아닙니다. 미쓰비시는 그 뒤로 미군 등 연합국 포로 강제동원과 중국인 강제동원을 사과하고 피해자에 대한 보상을 약속했습니다. 하지만 한국인 피해자는 철저히 외면하고 있습니다. 예전에 그랬던 것처럼 지금도 일본은 국적에 따라 사람 목숨도 차별하고 있는 듯합니다. 한국과 일본 사이에는 지금도 풀어야 할 문제가 많이 남아있습니다. 우리는 이 문제를 어떻게 풀어야 할까요? 아직도 알려지지 않은 많은 사연이 셀 수 없이 쌓여있습니다. 분명한 건 군함도의 일처럼 억울한 사연을 잊지 않고 계속 밝혀내고 목소리를 내야 한다는 것이고 그들이 흘린 피눈물을 잊지 않고 함께 가슴 아파해야 한다는 점일 것입니다.

03 카이로 선언에 한국의 독립이 포함된 까닭은 무엇인가요?

〈신지영〉

⊙ 카이로 회담에 참여한 장제스, 루스벨트, 처칠(한국사 바로 알리기 미주본부)

한국 역사에서 1945년 8월 15일은 매우 중요한 날입니다. 제2차 세계대전의 전범국인 일본이 연합국에 항복을 선언하며 한국은 35년 간 이어진 일제의 강점에서 벗어나 꿈에도 그리던 독립을 맞이하게 된 것이지요. 그렇다면 한국의 독립은 그저 일제의 패망으로 얻어진 부산물일 뿐인 걸까요? 아닙니다. 독립을 위해 나라 안팎에서 각자의 노선으로 끊임없이 투쟁해 온 사람들이 있었기에 한국의 독립은 가능했습니다.

한국의 독립을 세계에 말하다

제2차 세계대전이 벌어지고 있던 1943년 11월 22일에서 11월 26일까지, 미국 대통령 루스벨트와 영국 총리 처칠, 중국 총통 장제스는 이집트의 카이로에 모였습니다. 이들은 전쟁을 일으킨 일본 제국에 대한 대책을 마련하는 회의를 열고(카이로 회담) 회의에서 합의한 내용을 발표하였는데 우리는 이것을 '카이로 선언'이라고 부릅니다. 카이로 선언에는 당시 일제의 식민지였던 한국에 대한 내용도 포함되어 있습니다.

3개국은(미국, 영국, 중국) 한국인이 받아온 노예 대우를 고려하여 적당한 시기 안에 한국이 자유롭게 되고 독립하게 될 것을 결의한다.

카이로 선언은 일제가 패한 후 한국 독립을 약속한 최초의 국제 회담으로 우리에게 중요한 의미를 지닙니다. 그렇다면 왜 카이로 선언에서 한국의 독립 문제가 언급되었을까요? 미국, 영국, 중국의 지도자들은 어째서 한국의 독립을 이야기한 것일까요?

사실 미국이나 영국이 처음부터 한국의 독립을 지지하지는 않았습니다. 미국은 한국과 같이 식민 지배를 받는 국가들을 바로 독립시키지 말고 일정 기간 국제 사회가 공동으로 관리하자고 주장했습니다. 어렵고 힘든 상황에서도 나라의 독립을 되찾기 위해 노력하고 있던 한국의 독립운동가들에게 다른 나라가 한국을 공동으로 관리해야 한

◎ 상하이 임시정부 청사

다는 주장은 받아들일 수 없는 일이었습니다. 대한민국 임시정부는 이 문제에 대응하기 위해 발빠르게 나섰습니다. 중국 내에서 활동하고 있던 임시정부는 공동 관리 반대 운동을 벌이면서 한국이 원하는 것은 독립이라는 것을 국제 사회에 알리고자 하였습니다. 다행히 중국 정부는 대한민국 임시정부의 활동을 지원하고 있었습니다. 왜 중국 정부는 임시정부의 활동을 도와주었을까요?

한국의 한 청년

1919년 대한민국 임시정부가 처음 중국 땅에 세워졌을 때 중국 정부는 일본 정부와 외교 관계를 이유로 대한민국 임시정부를 인정하지 않았습니다. 일제의 이간질로 인해 만주 지역에서는 한국인들과 중국인들 사이에 충돌이 벌어지기도 하였습니다. 그러나 1930년대 들어 중국 대륙으로 세력을 확대하려는 일제와의 전쟁이 거듭되자 중국 내에서 한국 독립운동 세력과 연합하여 일제에 맞서 싸우자는 목소리가 커졌습니다. 특히 1932년 상하이에서 일어난 윤봉길 **의사***의 의거를 계기로 많은 중국인들이 한국의 독립운동에 대해 우호적인 생각을 가지게 되었습니다. 장제스도 그 중 한 사람이었습니다.

상하이를 공격했던 일본군은 윤봉길의 의거로 인해 군 지도부 중 7명이 죽거나 다치는 등 큰

❂ 상하이 윤봉길 의사가 의거한 장소 근처에 있는 기념관

❂ 윤봉길 거사 직후 상하이 훙커우 공원

***의사(義士)** | 나라와 민족을 위해 무력(武力)으로 저항하여 의롭게 죽은 사람을 말합니다.

⊙ 윤봉길 흉상(상하이, 루쉰 공원)
윤봉길 의사가 폭탄을 투척했던 홍커우공원은 오늘날
루쉰 공원으로 이름이 바뀌었습니다.

⊙ 충의사(충남, 예산)
윤봉길을 모신 사당입니다.

타격을 입었습니다. 이 때문에 일본군은 중국 내부로 전쟁을 확대하려던 계획을 잠시 멈춰야만 했습니다. 장제스는 윤봉길의 의거를 매우 높이 평가했습니다.

"중국의 백만 대군이 하지 못한 일을 한국의 한 청년이 해냈다"

윤봉길 의사가 소속된 단체는 바로 대한민국 임시정부에서 만든 한인애국단이었습니다. 장제스는 대한민국 임시정부를 이끌고 있던 김구와 만나 한국의 독립운동을 지원해 주기로 약속했고, 임시정부는 중국 정부의 도움을 받으며 중국 내에서 독립운동을 계속해 나갔습니다.

독립을 위한 임시정부의 노력

때마침 미국, 영국, 중국의 대표가 모이는 회의가 진행된다는 소식을 알게 된 김구와 임시정부 사람들은 직접 장제스를 만나 한국의 독립 의지를 알리려고 했습니다. 1943년 7월 김구를 비롯하여 조소앙, 김규식, 김원봉, 지청천 등 대한민국 임시정부 대표들은 장제스를 만났습니다. 이 자리에서 김구는 우리가 원하는 것은 국제사회의 공동 관리가 아닌 즉각적인 독립이라는 사실을 강조하면서 중국이 공동 관리 주장에 반대해달라고 요청했습니다.

"영국과 미국은 한국에 대해 국제 사회가 공동으로 관리하자고 주장하고 있습니다. 중국은 여기에 넘어가지 말고 한국이 독립해야 한다는 주장을 지지해 주시기 바랍니다."

장제스는 전쟁이 끝난 후 한국이 독립해야 한다는 김구의 말에 찬성하면서 중국이 한국의 독립을 위해 힘써 줄 것을 약속하였습니다. 장제스는 약속을 지켰습니다. 1943년 11월 23일, 카이로에서 미국 대통령 루스벨트를 만난 장제스는 전쟁이 끝난 후 한국을 독립시킬 것을 먼저 제안했습니다. 루스벨트도 여기에 동의했습니다. 두 사람은 일본이 전쟁에서 패한 후 적당한 시기 안에 한국에 자유 독립 국가를 건설하는 것으로 뜻을 모았습니다.

하지만 영국의 생각은 조금 달랐습니다. 카이로 선언문을 마지막으로 수정하는 과정에서 영국 측 담당자는 '한국에 자유 독립 국가를 건설한다'는 내용을 '한국을 일본의 통치에서 벗어나게 한다'로 고치거나 아예 삭제하자고 주장했습니다. 당시 영국은 인도나 미얀마 등 아시아 지역에서 많은 식민지를 가지고 있었기 때문에 혹시나 한국의 독립이 영국의 식민지에 영향을 줄 것을 걱정했습니다. 중국과 미국 측 담당자는 영국 대표의 입장에 반대하여 원래 합의된 문구대로 선언문을 작성하자고 요청했습니다.

◑ 김구와 장제스

1943년 12월 1일 최종 발표된 카이로 선언에는 '적당한 시기 안에 한국이 자유롭게 되고 독립하게 될 것을 결의한다'는 내용이 포함되었습니다. 한국의 독립을 국제 사회에 처음으로 공식 선언한 것입니다. 카이로 선언에서 한국의 독립이 발표될 수 있었던 데는 장제스의 도움이 컸습니다. 장제스가 한국의 독립을 도와준 것은 자주 독립 국가를 세우기 위해 끊임없이 노력한 대한민국 임시정부와 많은 독립운동가들이 있었기 때문입니다. 그런데 한국의 독립을 위한 '적당한 시기'란 대체 언제인 걸까요?

일제는 물러났지만

1945년 8월 15일, 마침내 그 날은 찾아왔습니다. 일본 제국은 항복을 선언했고 사람들은 해방의 기쁨을 누렸습니다. 그러나 해방이 바로 독립으로 이어지진 못했습니다. 일본군이 물러난 자리에 미군과 소련군이라는 두 강대국이 들어오게 되었고 한반도를 남북으로 가로지르는 38선이 그어졌습니다. '적당한 시기'라는 애매모호한 카이로 선언의 내용을 구체적으로 결정하기 위한 회의가 1945년 12월 모스크바에서 열렸습니다. 미국, 영국, 소련의 외교 담당 장관이 참가한 이 회의에서 **신탁 통치***가 언급되었습니다. 대한민국 임시정부에서 격렬하게 반대했던 국제 사회에 의한 공동 관리가 다시 부활한 것입

● 군정 법령집(1946년)(국립민속박물관)
미군정 장관이 내린 법령

니다. 당시 사람들은 신탁 통치를 어떻게 받아들였을까요? 모스크바 회의의 내용은 해방을 맞이한 한국 사회에 어떤 영향을 미치게 되었을까요?

***신탁 통치** | 국제연합(UN)의 위임을 받은 나라에게 통치를 받는 제도를 말합니다.

더 찾아보기

• 영상실록 김구

04 대한민국 학생들의 모습은 어떻게 달라졌나요?

〈신지영〉

◎ 광주 학생 항일 운동 기념탑(광주)

대한민국 사람이라면 거의 대부분 '학생'이라는 신분을 경험한 적이 있을 겁니다. 현행 대한민국 헌법은 초등학교부터 중학교까지를 의무교육 기간으로 규정하고 있지요. 시간이 흐르고 환경이 변하는 것처럼 '학생'의 모습은 시대마다 달랐지만 한편으론 '학생'이라는 상황에서 겪게 되는 비슷한 모습도 있었습니다. 나름의 방식으로 자신이 살던 시대를 치열하게 겪어냈던 대한민국 학생들의 이야기, 지금 시작해보겠습니다.

책 대신 총을 들다, 학도의용군

◯ 학도의용군 무명용사탑(서울 동작, 국립현충원)

한반도를 뒤흔든 광복의 기쁨도 잠시, 나라는 둘로 쪼개졌고 1950년, 6·25전쟁이 발발했습니다. 온 나라가 전쟁의 포화에 휩싸였고 사람들은 안전한 곳을 찾아 피난을 떠났습니다. 이때 책이 아니라 총을 들고 교실이 아닌 전장으로 나간 학생들이 있습니다. 우리는 이들은 학도의용군(학도의용병)이라 부릅니다. 학도의용군으로 전투에 참여한 인원은 대략 27,700여 명에 달했고 후방에서 지원활동을 한 경우까지 합하면 20만 명 가까이 됩니다. 학도의용군은 다부동 전투, 장사 상륙작전 등 여러 전투에 참여했습니다. 포항여중 전투에서 보여준 학도의용군들의 활약상을 모티브로 한 영화가 만들어지기도 했지요. 이제는 백발이 성성한 노인이 된 학도의용군. 국가로부터 보호받아야 할 어린 학생들을 학교가 아닌 전장으로 보내야 했던 가슴 아픈 역사가 다시는 이 땅에 반복되지 않기를 바랍니다.

엿 먹어라, 무즙으로 만든 엿!

○ 수험생의 과학 공부(국립민속박물관)

'입시지옥', 소위 말하는 '명문 학교'에 진학하기 위해 겪는 학생들의 부담을 표현한 말입니다. 1960년대에는 대학교뿐만 아니라 고등학교, 중학교 모두 입학시험이 있었습니다. '명문' 중학교에 진학하기 위해 초등학생(국민학생)부터 입시지옥을 경험해야 했지요. 한 문제 차이로 입학 여부가 판가름 나기 때문에 학생들이나 학부모 모두 입학시험에 민감할 수밖에 없었습니다.

그런데 1964년 12월 7일, 서울시 중학교 입학시험 '자연' 과목 18번에서 문제가 발생했습니다. 18번은 엿을 만드는 과정을 제시하고 엿기름 대신 넣어 엿을 만들 수 있게 하는 물질이 무엇인지를 묻는 객관식 문항으로 정답은 1번인 디아스타아제. 그런데 선택지 2번으로 제시된 무즙이 논란이 되었습니다. 무즙에도 디아스타아제 성분이 들어있기 때문에 무즙을 답으로 고른 학생과 학부모들이 복수 정답을 인정해야 한다고 문제를 제기했습니다.

서울시교육청에서 1번만을 정답으로 인정하려 하자 무즙을 답으로 고른 학생의 부모들은 직접 무즙으로 만든 엿을 들고 서울특별시교육위원회에 항의 방문하기도 했습니다. 서울고등법원에 소송을 제기, 재판까지 이루어진 끝에 2번도 정답으로 인정받게 되었고 점수가 오른 학생들은 원하던 중학교에 다시 입학할 수 있게 되었습니다. '무즙파동'이라고도 불리는 이 사건은 사회적으로 큰 이슈가 되었고, 과열된 중학교 입학시험에 대한 우려의 목소리가 더욱 커지는 계기가 되었습니다. 마침내 1968년 7월, 중학교 입시 제도는 폐지되고 추첨을 통한 무시험 진학으로 정책이 바뀌게 되었습니다.

● 무시험 추첨기(교원대학교 교육박물관)
이 도구를 통해 시험 없이 학교를 배정하였습니다.

'무즙파동'으로부터 약 50년 후, 2014학년도 대학수학능력시험 세계지리 과목에서도 복수정답이 나와 큰 파장이 일었습니다. 복수정답 인정 시비는 재판으로 이어졌고 2014년 10월에서야 서울고등법원은 해당 문항의 오류를 인정하는 판결을 내렸습니다. 해당 문항으로 인해 대학에 불합격한 학생들에게 추가 합격 기회가 주어졌으나, 이미 학생들은 1년에 가까운 시간을 허비한 상태였습니다. 앞으로 50여 년이 지나도 여전히 학생들은 시험 문제 하나 두 개에 울고 웃게 될까요?

학생도 군인처럼, 교련 교육의 강화

1968년 1월 21일, 대한민국을 발칵 뒤집은 사건이 벌어졌습니다. 북한 특수부대원(무장공비) 31명이 남하하여 청와대를 기습하려 한 것입니다. 생포된 북한군의 이름을 따 '김신조 사건'이라고도 불리는 이 사건을 비롯하여 울진·삼척 무장공비 침투사건, 미군 정찰함 푸에블로(Pueblo)호 납치사건 등 북한의 도발이 연이어 계속되었습니다. 이에 정부는 북한의 침략에 대응하고 학생들의 안보 의식을 고취한다는 명목으로 대학과 고등학교에 '교련'이라는 군사 훈련 과목을 도입하였고, 1968년 시범학교 운영을 거쳐 1970년 전국 모든 고등학교에서 교련 과목이 필수 과목이 되었습니다.

● 학교 교련 교범
1969년 교련 교육을 위해 발행된 교과서 입니다.

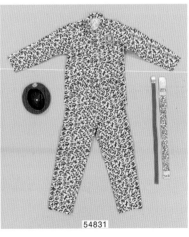
● 교련복(국립민속박물관)
남학생들이 착용했던 교련복 입니다.

▶ 국방의 중요성을 인식시키고 투철한 애국 애족의 정신을 기른다.

▶ 군사에 관한 지식과 기능을 습득시키고 강인한 체력을 배양하여 국토 방위에 공헌할 수 있는 능력을 기른다.

▶ 단체 훈련을 통하여 규율 생활을 익히고 단결심을 굳게 함으로서 활달한 기풍과 국가에 봉사하는 태도를 기른다.

-교련과의 목표 (문교부령 제207호-1969. 2. 19.)

국방부에서 제작한 교과서를 가지고 군인 출신 교련 선생님 밑에서 얼룩말 무늬 교련복을 입고 훈련을 받는 학생들의 모습은 1970년대 흔히 볼 수 있는 광경이었습니다. 남학생들은 총검술, 제식 훈련, 소총 화기술 등 군사 훈련을 받았고 여학생들은 위생 및 응급 처치법을 배웠습니다. 1971년 정부는 교련 과목이 확고한 국가관 정립과 투철한 안보 인식 확립에 효과가 있다며 이를 더욱 강화하고자 하였습니다. 대학에서도 교련 시수를 늘리고 필수로 하려 하였지요. 교련 교육을 강화하려 한 이같은 시도는 독재 정치를 견고히 하려는 박정희 정권이 교련을 통해 학생들을 통제하고 대학 내의 민주화 운동을 감시하려는 의도였다고 보여집니다. 이에 교련 강화에 반대하는 투쟁이 여러 대학에서 격렬하게 진행되었습니다.

말도 많고 탈도 많던 교련 과목은 1990년 대학에서 폐지되었고, 고등학교에서는 2002년부터 적용된 제7차 교육과정에서 필수가 아닌 일반 선택 과목으로 바뀌면서 사실상 폐지되었습니다.

머리도 복장도 자유롭게, 두발 · 교복 자율화 정책

쿠데타를 통해 권력을 장악한 전두환 정부는 민심을 수습하기 위해 여러 가지 유화 정책을 내세웠습니다. 그 중 하나가 1982년 전국 중고등학생들의 머리 모양과 교복을 자율화 한다는 조치였습니다. 두발 자율화는 신학기부터 바로 시행하고 교복 자율화는 교복 생산업자들의 피해를 줄이기 위해 이듬해인 1983년 신학기부터 실시하도록 했습니다.

우리나라의 교복은 1880년대 이화학당과 배재학당에서 당복을 지정한 것에서 출발하여 1904년 한성중학교에서 검은색 두루마기에 검은 띠를 두르게 하면서 교복의 형태를 갖추게

⊙ 보성중학교 제1회 졸업식(1910)(국립한글박물관)

⊙ 여러 형태의 교복

⊙ 교복 자율화 이전 고등학교
남학생 교복(국립민속박물관)

되었습니다. 1980년대 초까지만 해도 교복은 학교별로 차이가 있는 것이 아니라 획일화된 형태였습니다. 학교 평준화 정책에 따라 교복 역시 균일화시켜 버린 것입니다. 두발 규정은 매우 엄격하여 남학생들에게는 삭발에 가까운 짧은 머리만, 여학생들에게는 귀밑 3cm의 단발머리만이 허용되었습니다.

염색이나 파마 및 남학생의 장발이 금지되는 등 완전 자율화가 이루어진 것은 아니었지만 두발과 교복의 자율화 조치는 자신의 개성을 한껏 표현하고 싶은 학생들에게 매우 환영을 받았습니다. 그러나 막상 교복을 폐지하자 학생들 간 위화감 조성이 우려되고 경제적으로 부담이 된다는 여론이 높아졌습니다. 이후 1986년 학교장 재량으로 교복 착용 여부와 교복의 형태를 고를 수 있게 하는 보완 조치가 이루어졌고 대부분의 학교는 교복을 착용하는 것으로 되돌아갔습니다.

이제는 획일화된 하나의 교복이 아니라 학교의 특성과 학생들의 편리성을 고려한 생활복이나 반바지 교복 등 다양한 형태의 교복을 입고 있습니다. 교복을 선정하는데 학생·교사·학부모가 참여할 수도 있지요. 두발 역시 학교 구성원들의 의견을 종합하여 교칙을 결정하는 경우가 많습니다. 최근에는 교내에서 파마와 염색 등 두발의 완전한 자유와 여학생들의 화장을 허용하자는 주장에 대한 찬반 논란이 거세게 일고 있습니다. 여러분은 여기에 대해 어떻게 생각하시나요?

수능의 탄생

2005학년도 대학수학능력시험 성적통지표

수험번호	성 명		주민등록번호	출신고교(반 또는 졸업년도)		

구 분	언어영역	수리영역	외국어(영어)영역	사회탐구영역				제2외국어/한문영역
		나형 (-)		윤리	국사	한국근현대사	법과사회	한문
표준점수	128	145	134	61	62	65	66	68
백분위	96	98	98	91	95	98	98	95
등 급	1	1	1	1	1	1	1	1

2004. 12. 14

한 국 교 육 과 정 평 가 원 장

⊙ 2005학년도 대학수학능력시험 성적표

해마다 11월이 되면 전국의 유명한 산과 사찰, 교회에는 기도를 드리러 오는 학부모들의 모습을 쉽게 찾아볼 수 있습니다. 뉴스에서는 시험 대비 전략이나 시험 당일 컨디션 조절 방법에 대해 설명하고 시험 당일에는 관공서 및 기업의 출근 시간을 늦춰가며 수험생들이 원활히 고사장에 입실할 수 있도록 도와줍니다. 듣기 평가가 실시되는 시간에는 비행기도 이착륙을 연기하지요. 그야말로 온 나라가 집중하는 '대학수학능력시험', 바로 '수능'입니다.

교육열이 높기로 유명한 대한민국에서 대학입시제도는 늘 많은 국민들의 관심사였습니다. 초기의 대학입학전형은 대학별로 시험을 봐 신입생을 선발하는 대학별 단독고사 체제였습니다. 대학별 단독고사에서 부정과 비리가 발생하고 무자격 학생들이 입학하는 문제가 발생하자 정부는 1969학년도부터 '대입예비고사'를 실시하여 국가 차원에서 실시한 예비고사를 통과한 학생들만 각 대학에서 실시하는 '본고사'에 응시할 수 있도록 대입전형을 수정했습니다.

대학별로 실시한 본고사는 주관식 서술형 문항으로 구성되었는데 고등학교 교육과정의 범위와 수준을 벗어나는 어려운 문제가 출제되어 사교육을 유발한다는 비판이 제기되어 이후 1982학년도에는 대학별 본고사가 폐지되고 객관식 선다형 문항으로 이루어진 '대입학력고사'가 도입되었습니다. 하지만 국가 표준화 시험인 학력고사 또한 여전히 단편적인 교과 지식을 묻는 방식이었기에 획일화된 내용을 암기하는 교육 풍토가 지속되었고, 고등사고력을 평가할 수 없는 한계점이 있었습니다. 이에 1994학년도부터 교과 내용을 포괄하는 고등사고력을 평가하는 형태의 새로운 대입 전형으로 '대학수학능력시험'이 실시되었습니다. 수능을 처음으로 도입한 해에는 언어영역 60점, 수리탐구영역Ⅰ 40점, 외국어영역 40점, 수리탐구영역Ⅱ 60

점으로 총 200점 만점이었으며 8월과 11월 두 번 시험을 실시하였습니다. 하지만 난이도 조절과 2차 시험 참여율 등에 문제가 생겨 이후에는 11월 단 한 번만 시험을 실시하는 것으로 바꾸어 지금까지 이어지고 있습니다.

그러나 수능이라는 큰 틀이 유지되면서도 세부적인 대입제도는 수시로 바뀌었습니다. 고등 사고력을 평가하기 위해 수능과 함께 대학별 논술고사가 도입되기도 하였고, '수시모집' 제도를 확대하여 대입전형 시기를 '수시모집'과 '정시모집'으로 나누어 실시하였으며, 학교 교육 정상화를 위해 내신의 비중을 높이기도 했습니다. 학생을 평가하는 방식도 상대평가와 절대평가 방식을 왔다 갔다 하면서 교육 현장에 큰 혼란을 주고 있고 '학생부종합전형'에 대해서는 찬반 의견이 팽팽합니다. 수능시험을 비롯한 대입제도 개편에 대해 많은 이야기가 오가고 있는 요즘, 여러분이 생각하는 바람직한 대학입학 전형은 무엇인가요?

더 찾아보기

• 교육부 블로그

• 국방부 블로그

• 국가기록원

05 대한민국의 시작은 언제인가요?

〈장재윤〉

↷ 임시정부 모형(독립기념관)

↷ 대한민국 임시정부 청사(중국, 상하이)

'대한민국'이 1948년에 처음 세워졌다고?

1948년 8월 15일. 대한민국 정부를 수립한 날입니다. 일제 식민 지배에서 35년 만에 벗어나 드디어 '인민, 주권, 영토' 3요소를 온전히 갖춘 정식 정부를 수립하고 선포한 날이라는 점에서 무척 뜻 깊은 날이라고 할 수 있습니다. 그런데 이 날을 '정부 수립일'이 아니라 '건국일'로 봐야 한다는 목소리가 언제부터인가 나오기 시작했습니다. 그냥 목소리만 나온 정도가 아니라 특정 정권에서는 아예 이 날을 건국일로 제정하려고 밀어붙였지요.

결국 2015 개정교육과정에서는 1948년 8월 15일을 '대한민국 정부 수립'이 아니라 **'대한민국 수립'*** 으로 서술하게 되었습니다. 8월 15일을 '광복절'에 덧붙여 '건국절'로 추가 지정하려는 움직임과 함께 말이지요. 이에 많은 사람들이 반대하는 목소리를 냈습니다. 특히 역사학계의 반발이 매우 거셌지요. 대체 어떻게 된 일일까요? 1948년은 정부를 수립한 날일까요, 아니면 나라 자체를 새로 세운 날일까요?

'건국'은 없던 나라를 처음 세우는 일입니다. 1948년 8월 15일을 건국일로 본다면 대한민국은 그 날 처음 세워진 나라인 것이지요. 일단 이것 자체가 사실과 맞지 않습니다. '대한민국'이라는 국호를 이때 처음 쓴 것도 아니요, '민국', 즉 민주 공화국 정부를 이날 처음 세운 것도 아니기 때문입니다.

대한민국은 1945년 해방을 맞이하고서 3년 동안 미군정 통치를 받다가 1948년에 갑자기 하늘에서 뚝 떨어진 나라가 아닙니다. 일제 패망 뒤에 이 땅에 새 지배자로 상륙한 미국이 선물로 주고 간 건 더더욱 아닙니다. 우리는 해방을 맞이하기 전에 민주 공화국을 이미 세운 바 있습니다. 언제 어디서 그랬냐고요? 글쎄요. 혹시 이런 노래 들어 보셨나요?

기미년 3월 1일 정오…

***대한민국 수립** | 이 부분은 2017년에 들어선 새 정부에서 '대한민국 정부 수립'으로 다시 바꾸는 작업을 진행하고 있습니다(2018년 2월 현재).

대한민국은 민주 공화국이다

○ 환(원)구단과 황궁우
고종이 대한 제국을 만들어 황제라 칭하고, 즉위한 곳입니다.

대한민국은 민주 공화국이다. 대한민국의 주권은 국민에게 있고, 모든 권력은 국민으로부터 나온다.

대한민국 헌법 제1조입니다. 저는 이 한 마디에 가슴이 뭉클해집니다. 우리나라 헌법에 이 말이 있어서 참 다행입니다. 적어도 동아시아에서만큼은 가장 민주적 헌법 가운데 하나라고 감히 자부할 수 있습니다. 그런데 우리도 저 말이 꿈만 같았던 시절이 있었습니다. 혹시 일제 강점기 이야기냐고요? 아닙니다.

대한 제국의 정치는 만세 불변의 전제 정치이다.

1899년에 반포한 대한국 국제, 그러니까 대한 제국 헌법 제2조입니다. 대한 제국의 모든 권력을 황제가 혼자 쥐고 있었습니다. 법률 제정, 반포, 집행, 조약 체결, 선전포고 같은 모든 일을 황제가 마음대로 했습니다. 온도차가 느껴지나요? 그렇습니다. 우리는 지금 무척 소중한 나라에 살고 있습니다. 모든 권력이 국민에게서 나오는 나라, 민주 공화국에요.

혹시 궁금한 적 없었나요? 망한 나라는 대한 제국인데, 어째서 해방되고서 제국이 돌아오지 않고 대한민국이 되었는지 말이지요. 대한 제국 황실에 사람들이 워낙 실망을 많이 해서였을까요? 아니면 한반도를 점령한 미국이나 소련 때문이었을까요? 어느 쪽도 아닙니다. 대한 제국은 그보다 뜻 깊은 고민과 과정을 거쳐 대한민국이 되었습니다.

공화국 만세! – 제국에서 민국으로

1919년 4월 23일. 3·1운동이 들불처럼 전국으로 퍼졌던 그때. 그날 종로 보신각에서는 사람들이 모여 여느 때와 달리 처음 보는 깃발을 흔들었습니다. 힘차게 휘날리던 깃발에는 다음 글귀가 적혀 있었지요. "공화만세(共和萬歲)"

그동안 "대한독립만세"를 외치다 이번에는 "공화국 만세"를 외친 것입니다. 독립을 선포했으니 이제 정부도 선포할 순서였던 것입니다. 일제를 몰아내고 세울 정부 형태가 민주 공화국이라는 외침이기도 했습니다.

이렇게 '한성정부', 13도 대표가 모여 수립을 결의하고 1919년 4월 23일에 보신각 앞 '국민대회'에서 선포한 임시정부가 세워졌습니다. 비슷한 시기에 상해와 연해주에 '상해 임시정부'와 '대한 국민의회'가 세워집니다. 곧 세 정부가 하나로 통합되었고 서울 국민대회에서 선포한 한성정부가 정통성을 갖고 중심이 되었습니다. 이어서 상해에 통합 정부를 세우니, 그게 바로 대한민국 임시정부입니다. 이렇게 대한'민국'이 첫 발을 내딛은 것입니다.

황제가 포기한 주권을 국민이 상속할 권리와 의무가 있나니

1910년에 대한 제국이 일제에 강제 병합되자마자 수많은 사람들이 나라를 다시 찾으려고 횃불과 총칼을 들었습니다. 하지만 되찾을 나라의 정치체제를 무엇으로 할 것인지를 정하는 건 쉬운 일이 아니었습니다. 크게 대한 제국을 그대로 복원하자는 쪽(복벽주의)과 새로 민주 공화국을 세우자는 쪽(공화주의)으로 나뉘어 서로 팽팽히 맞섰지요.

🔴 대한민국 임시의정원 기념사진(1919년)(위키미디어 커먼스)

1910년대 초반까지만 하더라도 제국을 복원해야 한다는 목소리가 꽤 컸다고 합니다. 망한 건 제국이니까 제국으로 돌아가야 한다는 논리였지요. 어떤 이들은 고종 황제를 중국 상해로 빼내 망명 정부를 세우려는 계획을 세웠다가 실패하기도 했습니다. 그러다 1917년이 되면서부터 어느 정도 가닥을 잡게 됩니다. 제국이 망했다고 해서 제국으로 꼭 돌아갈 이유는 없다는 목소리에 힘이 실리기 시작합니다.

융희 황제(순종)가 삼보(영토 · 인민 · 주권)를 포기한 경술년(1910) 8월 29일은 즉 우리 동지가 이를 계승한 8월 29일이니 … 우리 동지는 완전한 상속자니 저 황제권 소멸의 때가 즉 민권 발생의 때요, 구한국의 마지막 날은 즉 신한국 최초의 날이니… 고로 경술년 융희 황제의 주권 포기는 즉 우리 국민 동지에 대한 묵시적 선위니, 우리 동지는 당연히 삼보를 계승하여 통치할 특권이 있고 또 대통을 상속할 의무가 있도다.

1917년에 중국 상해에서 발표한 '대동단결의 선언'입니다. 독립운동의 이유와 목표, 방향을 명쾌하게 밝힌 이 선언으로 공화주의에 무게가 실리기 시작합니다. 일제의 한국 병합이 무효이며 한국의 주권이 여전히 한국인에게 있음을 이보다 더 잘 보여줄 수 있는 논리는 없었습니다.

1910년 8월 29일에 나라가 망한 게 아닙니다. 단지 황제가 주권을 포기했을 뿐입니다. 그 주권은 마땅히 국민이 상속해야 합니다. 그런데 중간에 일본이 뜬금없이 끼어들었습니다. 따라서 황제가 일본에 주권을 넘겼다는 한일병합조약은 무효입니다. 강도 일본을 쫓아내고 주권을 되찾는 주체는 이제 '황제'가 아니라 '국민'입니다. 주권은 이미 국민의 것이 되었으니까요. 민주주의 체제, 민주 공화제 정부는 더 이상 선택이 아닌 필수가 되었습니다.

독립운동은 곧 이 땅에 나라를 민주 공화국으로 다시 제대로 세우는 민주 혁명 과정이었습니다. 주권을 되찾기 위해 앞장서서 싸우는 임시정부도 당연히 민주 공화정이 되어야 했던 거지요.

우리가 영영 잃어버릴 수 있는 것들

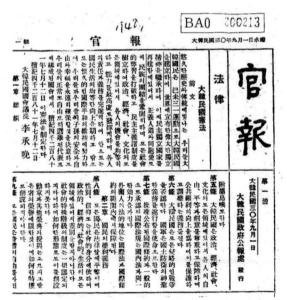

○ 대한민국 제헌헌법을 실은 관보(1948년)(위키미디어 커먼스)
대한민국 제헌헌법을 실은 관보입니다. 처음에 나오는 '전문'에 대한민국을 1919년에 건립했음을 분명히 밝히고 있지요? 윗부분의 신문발행일을 유심히 보십시오. 신문이 나온 1948년을 '대한민국 30년'으로 표기했습니다. 당시 사람들이 대한민국의 출발점을 '1919년'으로 보았음을 알 수 있습니다.

우리나라, '대한민국'이라는 이름은 알고 보면 독립운동의 자식이자 독립운동 역사 그 자체입니다. 우리가 사는 이 나라는 억압에 맨몸으로 저항한 수많은 투사들의 눈물과 피를 딛고 세웠다는 역사성 위에 서 있습니다.

1948년 당시 대한민국 정부를 수립할 당시 제헌국회의원들도 그와 같이 생각했던 것 같습니다. 1948년에 선포한 제헌헌법은 이렇게 말합니다.

우리들 대한 국민은 기미년 3·1운동으로 대한민국을 건립하여 세계에 선포한 위대한 독립 정신을 계승하여 민주 독립 국가를 재건함에 있어서 …

　대한민국을 기미년(1919) 3·1운동으로 건립했고, 1948년에 대한민국 정부를 해방을 맞아 우리 땅에 정식으로 재건했다는 점을 헌법에서도 분명히 밝히고 있습니다. 1948년에 대한민국을 '건국'한 게 아니라 '정부를 수립'했다는 관점은 사실을 잘 반영할 뿐만 아니라 헌법 정신 그 자체입니다.

　만약 우리나라를 1948년 8월 15일에 건국했다고 생각해버리면 우리나라가 품고 있는 독립운동 역사를 스스로 끊어내게 됩니다. 매년 8월 15일을 나라 생일로 지정하고 생일축하파티를 열어줄 수는 있겠지요. 하지만 그러는 동안 우리는 정말 소중한 무언가를, 누군가 처절하게 흘린 피와 눈물의 흔적을, 우리가 사는 이 나라가 정말 사랑할만한 가치가 있음을 증명하는 역사를 영영 잃어버릴지도 모릅니다.

'나라'는 제조일자가 찍히는 공산품이 아니다

　'건국'은 진짜로 나라의 '시작'이라고 볼 수 있는 시점을 부르는 말입니다. 그런데 따지고 보면 우리 역사에서 '나라'라고 부를 수 있는 건 대한민국 하나만 있는 게 아닙니다. 가깝게는 대한 제국부터 조선, 고려를 거쳐 고조선까지. 이 모두가 우리나라입니다. 그 가운데 언제부터 우리나라가 진짜로 시작된 것일까요? 쉽지 않은 문제입니다. 우리나라만 그런 게 아닙니다. 꽤 많은 나라들이 '건국'을 따로 기념하고 있지 않습니다.

　유명한 나라들을 예로 들어볼까요? 프랑스는 공화정을 처음 시작한 1789년을 건국 시점으로 보고 그 이전 왕조들은 자기네 나라가 아니라고 하던가요? 독립 전쟁으로 태어난 미국도 자기네 건국일을 따로 정해놓고 기념하지는 않습니다. 미국이 독립기념일로 삼은 7월 4일은 영국이 미국의 독립을 인정한 날도 아니고 그렇다고 독립전쟁을 시작한 날도 아닙니다. 13개주 대표가 독립선언에 서명한 날일 뿐입니다. 생각보다 많은 나라들이 자기 나라 건국일을 정해놓고 있지 않습니다. 건국은 '사건'이 아니라 '과정'이기에, 그 과정 속에서 가장 가치 있는 날을 기억하고 기릴 뿐이지요.

　나라는 제조일자를 정확히 알 수 있는 공산품이 아닙니다. 물처럼 흐르는 과정이자 역사 그 자체입니다. 대한민국은 어떤 이들이 주장하는 것처럼 '1948년 8월 15일'을 제조일로 찍어서 나온 상품이 아닙니다. 우리 역사의 흐름 안에 있었던 많은 왕조들이 바뀌고 바뀌어 민주 공화국으로 환골탈태한 모습일 따름입니다. 어찌 보면 고조선부터 대한민국까지 모두 이 땅에 터전을 닦고 살아온 사람들이 만든 정치·사회·경제·문화 공동체가 변화해온 하나의 과정이라고 할 수 있는 것이지요. 그런 의미에서 8월 15일에 '건국절'이라는 이름표를 붙이는 건 큰 잘못입니다. 8월 15일은 1945년에 우리가 나라를 되찾은 '광복절'로 기억하고 기념할 수 있을 뿐, 거기에 뭔가 군더더기를 덧붙일 이유가 없습니다.

대한민국의 시작은 언제일까요? 저는 '1948년이 아니라 임시정부를 수립한 1919년으로 봐야한다. 그런데 그걸 기억하는 것보다 더 중요한 게 있다'고 답하고 싶습니다. 지금까지 이 나라가 지금 모습이 되기까지 밟아온 과정을 찬찬히 살펴보는 건 어떨까요? 이 땅에 민주 공화국이 바로서기까지 어떤 피땀 어린 노력이 있었으며, 그 결실을 굳게 지키기 위해 어떤 의식을 갖고 살아야 할지를 생각해 보는 시간을 가져보는 건 어떨까요? 여러분의 생각은 어떤가요?

더 찾아보기

• 서울대학교 대학신문, 「역사학의 시선으로 건국절의 속내를 파헤치다」, 20160911
• 오마이뉴스, 「건국절 주장이 얼토당토않은 이유 4가지」, 20160818
• 허핑턴포스트코리아, 「건국절 논란에 대한 또다른 접근」, 20160825

06 전태일은 왜 죽어야 했나요?

〈장재윤〉

❂ 전태일 흉상(서울, 중구, 청계천)

❂ 전태일 묘(경기, 남양주, 모란공원)

♬단결만이 살길이요 노동자가 살길이요

내 하루를 살아도 인간답게 살고 싶다♬

노동쟁의 현장에서 많이 부르는 노래의 한 구절입니다. 참 슬픈 말입니다. 어쩌면 우리 사회의 어떤 민낯을 적나라하게 보여주는 가사인지도 모르겠습니다.

○ 전태일(전태일 재단)

한국은 세계 경제 10위권 언저리에서 빠지지 않는 경제대국입니다. 언뜻 보면 무척 살기 좋은 나라 같기도 합니다. 거리에 나가보면 화려한 건물과 고급 승용차를 쉽게 볼 수 있습니다. 하지만 누군가는 핏발 선 눈으로 고공 크레인이나 공장 굴뚝에 올라가고 누군가는 스스로 목숨을 끊기도 합니다. 보기에도 아찔한 곳에 올라가서라도 목소리를 내야만 했던 사람들. 때때로 분노와 회한 속에서 스스로 세상을 등졌던 사람들. 그들은 노동자입니다.

노동자는 노동력을 팔아 임금을 받는 사람입니다. 자기 회사나 가게를 차리지 않는 이상 공장에서 일하든 사무실에서 일하든 우리는 모두 노동자입니다. 사실 따져보면 그 어떤 대단한 회사도 노동자 없이는 단 1초도 존재할 수 없습니다. 기업이 돈을 벌 수 있게 뭔가를 만들어내고 조직을 실제로 움직이는 사람은 노동자이기 때문입니다. 그런데 노동자가 그 중요성만큼 제대로 대우받고 있을까요? 글쎄요. 청년 전태일의 삶을 되돌아보며 그 문제를 짚어보려 합니다.

인간답게 살고 싶다

전태일이 살았던 1960년대는 한국 경제가 빠르게 성장하던 시기입니다. 1961년에 5 · 16 쿠데타로 정권을 잡은 군부 세력은 경제 성장에 힘을 기울입니다. 정당성이 없는 그들을 사람들이 따르게 하려면 무언가 눈에 띄는 성과가 있어야 했으니까요. 그래서였을까요? 그들은 무엇보다도 경제 발전 '속도'를 중요하게 여겼습니다.

박정희 정부의 경제 정책은 '수출주도형 발전'이었습니다. 되도록 많은 물건을 수출하여 돈을 벌겠다는 전략이었는데요. 그 시절 한국 기업이 만든 물건은 품질이 그렇게 좋지 않아서 세계 시장에서 경쟁력을 가지려면 되도록 싸게 팔아야 했습니다. 그래서 정부는 생산비를 줄이

🔵 100억불 수출의 날 경축 아치(1977)(『참 한국사 이야기』)

려고 정책적으로 '저임금 · 저곡가'를 유지하려 했습니다.

1960년대 노동자의 90%가 생계비에 크게 못 미치는 임금을 받고 1주일에 **평균 56.3시간*** 일했습니다. 특히 제조업 노동자의 70% 정도는 식료품을 살 수 있을 정도의 돈도 받지 못했습니다. 이런 걸 '기아임금'이라고 부르기도 합니다. 어떻게 이런 조건으로 사람들을 일하게 만들 수 있었을까요?

박정희 정부의 저곡가 정책으로 많은 사람들이 희망이 안 보이는 농촌을 떠나 도시로 몰려드는데요. 이렇게 도시는 노동력이 과잉 공급된 상태가 되었습니다. 일자리보다 일하려는 사람이 크게 넘치는 상황. 사장들은 이런 상황과 구조 안에서 노동자들이 낮은 임금을 받고도 긴 시간 일하도록 손쉽게 요구할 수 있었고, 노동자들은 그나마 얻은 일자리라도 잃지 않으려고 무리한 요구를 받아들일 수밖에 없었지요. 말하자면 '갑질'하기 너무 좋은 세상이었다고 할까요.

서울 동대문 근처의 평화시장은 그 가운데에서도 가장 힘든 곳이었습니다. 전태일은 이곳에서 재단사로 일하고 있었습니다.

---

* **평균 56.3시간** | 지금은 어떨까요? 통계청에 따르면 한국인은 2015년 기준 1주일에 평균 43.6시간 일하고 있습니다.

우리는 기계가 아니다

동대문 평화시장에는 의류 제조업체들이 많이 입주해 있었습니다. 여기에서 노동자 약 3만 명이 일했습니다. 옷감을 재고 자르는 재단사, 재봉틀로 옷을 만드는 미싱사, 이들이 일을 빠르게 할 수 있도록 허드렛일을 돕는 '시다'들이 있었습니다. 여성노동자들이 특히 많았고 가장 처음에 일을 배우는 시다나 미싱 보조의 나이는 이제 갓 초등학교(당시는 국민학교)를 졸업한 14~16세 정도였다고 합니다.

이들은 하루 평균 14~15시간을 일했고(1주일에 약 98시간 이상) 한 달에 이틀 정도 쉬기도 힘들었다고 합니다. 여성 노동자들이 대다수였음에도 생리휴가 같은 건 기대할 수도 없었고요. 월급을 제대로 받지도 못했습니다. 지금처럼 정해진 월급을 받는 게 아니라 사장 마음대로 수당을 정했고 임금체불도 흔했습니다. 시다가 하루에 받는 일당은 당시 기준으로 약 70원이었다고 하는데, 이 돈으로는 하루 세 끼를 제대로 챙겨먹기도 힘들었습니다.

작업환경은 더욱 비인간적이었습니다. 평화시장 업체들은 재봉틀을 많이 놓으려고 작업장을 닭장처럼 비좁게 나누었습니다. 게다가 층 한 개를 2층 다락방 구조로 나누어버린 탓에 아무리 키 작은 사람이라도 허리를 곧게 펴고 일어설 수 없었습니다. 비좁은 작업장에 창문도 달아놓지 않은 경우가 많았고요. 섬유 가루가 수없이 날리는 다락방에 환풍기도 제대로 달아놓지 않아서 일하다가 다들 폐병을 앓게 되었다고 합니다. 직업병이 잦을 수밖에 없는 환경이었음에도 고용주는 전혀 책임지지 않았습니다. 세면장이나 목욕 시설은 기대할 수도 없었고 몇 개 없는 화장실도 엉망이었습니다. 2,000명 이상이 남녀공동변소 3개를 함께 쓰는 꼴이었다고 합니다.

전태일은 함께 일하는 나이 어린 동료들의 아픔에 함께 슬퍼하며 그들을 도우려고 합니다. 그 또한 얼기설기 만든 판잣집에 살며 얼마 안 되는 월급으로 부모님과 형제들을 부양해야 하는 어려운

◐ 평화시장에서 동료 시다, 미싱보조들과 함께
(뒷줄 가운데가 전태일)(전태일 재단)

처지였지만, 점심도 못 먹는 동료들에게 풀빵을 사서 나눠주고는 차비가 없어서 멀리 떨어진 집에 몇 시간이고 걸어서 돌아가곤 했던 마음 따뜻한 사람이었습니다.

어느 날 나이 어린 여공이 피를 토하고 실려 가는 모습을 보고 전태일은 마음을 고쳐먹게 됩니다. 그 동료는 열악한 작업 환경 때문에 중증 폐병을 앓고 있었습니다. 그는 결국 더 이상 일할 수 없다는 이유로 해고당하고 버려집니다. 사람을 부품처럼 쓰다 쓸모없어지면 버리는 현실. 그 어떤 상식이나 인정도 기대할 수 없는.

죽도록 일하다 병을 얻고는 가차 없이 버려진 동료의 모습은 곧 전태일 자신의 미래이기도 했고, 당시 비슷한 상황에 놓여있던 모든 노동자의 자화상이기도 했습니다. 전태일은 더 이상 가만히 있으면 안 되겠다고 생각합니다. 재단사 동료들을 모아 앞으로 노동조합으로 발전시킬 계획으로 모임을 만듭니다. 그 모임의 이름은 '바보회'였습니다. 바보 같이 당하지만 말고 현실을 바꾸기 위해 노력하자는 의미였지요.

내 죽음을 헛되이 하지 말라

전태일은 '근로기준법'을 알게 되며 현실에 분노합니다. 하루 8시간 노동, 미성년자와 여성의 야간 노동 금지 같은 최소한의 노동인권을 보장하는 법이 이 나라에도 있었지만 아무도 지키지 않고 있었던 것입니다. 그리고 그는 작은 희망도 품어봅니다. 불법을 저지르는 사업주들의 행태를 관청에 알리면 문제가 해결될 것이라 생각했습니다. 표지가 닳아 너덜너덜해지도록 근로기준법 법전과 해설서를 밤새워 공부하고, 바보회를 중심으로 평화시장 노동자들에게 설문지를 돌려 노동 실태를 조사하기도 했습니다. 그러나 설문 결과를 들고 떨리는 마음으로 근로감독관을 찾아간 전태일은 크게 좌절합니다. 자기 힘으로는 어찌할 수 없는 너무나 차갑고 단단한 현실의 벽과 만나야만 했습니다.

근로감독관은 전태일의 호소에 그저 냉담한 반응을 보일 뿐이었습니다. 사실은 감독관이 모든 걸 알고서도 업주들과 짜고 불법을 묵인하고 있었던 것입니다. 전태일은 직접 정부에 진정을 넣고 박정희 대통령에게 편지까지 보내봤지만 결과는 다르지 않았습니다. 그는 이제야 알게 되었습니다. 진짜 문제는 눈앞의 업주들이 아니라 국가와 자본이 손을 잡고 노동자를 착취하는 사회 구조 자체에 있다는 것을.

넘기 어려운 거대한 벽과 마주쳤지만 전태일은 포기하지 않았습니다. 그의 노력으로 평화시장 노동자들의 실상을 석간신문이 보도하기도 합니다. 하지만 업주들은 협박과 해고로 전태일과 동료들을 압박합니다. 경찰은 정보과 형사를 보내 전태일을 감시하기 시작합니다. 지친 동료들이 하나둘 떨어져나가기 시작할 때쯤 그는 누구도 하지 못할 결심을 굳힙니다. 아무도 우리를 봐주지 않으니 내 목숨이라도 내던져 세상에 우리 실상을 알리자. 모두가 현실에 눈뜨게 하자. 그것만 할 수 있다면. 그렇게만 될 수 있다면.

1970년 11월 13일. 그날은 전태일과 동료들이 평화시장에서 처음으로 조직적 시위를 하려던 날이었습니다. 약속한 시간이 되어 평화시장 국민은행 앞길에 노동자 수백 명이 모여 구호를 외치자 경비원과 경찰이 몽둥이로 때리며 그들을 구석으로 몰았습니다. 그대로 진압되려던 순간 전태일이 석유를 끼얹은 몸에 불을 붙인 상태로 거리로 뛰어나가며 외쳤습니다.

근로기준법을 준수하라! 우리는 기계가 아니다! 내 죽음을 헛되이 하지 말라!

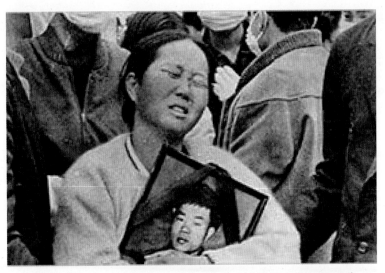
◉ 전태일 장례식에서 아들 영정을 껴안고 몸부림치는 이소선 어머니(전태일 재단)

불길이 온몸을 덮고 입 안으로 들어차 말인지 비명인지 분간하기 어렵게 되었지만 전태일은 멈추지 않고 계속 외쳤습니다. 검게 탄 숯덩이가 되어 쓰러진 그는 그렇게 불꽃이 되어 세상을 떠났습니다. 그리고 얼마 지나지 않아 그가 남긴 불꽃이 퍼져나갔습니다. 세상이 잘못되어도 크게 잘못되었다는 인식이 퍼졌습니다. 곳곳에서 치열하게 회사나 정부와 싸우는 노동자와 노동조합이 크게 늘어났습니다. 그 싸움들은 천천히 그러나 격렬하게 세상을 흔들기 시작합니다.

🔵 **신민당사에서 농성 중인 YH무역 여공들을 무자비하게 끌어내는 경찰들(1979)(민주화운동기념사업회, 경향신문)**
YH사건은 1979년 8월 9일, 가발 업체 YH무역에서 일하는 여성 노동자 약 170명이 생존권 보장과 회사 운영 정상화를 요구하며 당시 야당인 신민당의 당사에서 농성한 사건입니다. 정당 당사에서 허락 받고 하는 농성은 진압할 수 없음에도 당시 경찰은 신민당사에 난입, 이들을 무자비하게 진압합니다. 이 사건으로 김영삼 의원 제명 파동, 부마민주항쟁이 연달아 터졌고, 이는 결국 10.26 사건(박정희 암살)의 도화선이 되었습니다.

1979년 YH무역 노동자들의 투쟁은 박정희 정부가 몰락하는 결정적 도화선이 되었습니다. 1987년 6월 항쟁은 작업복 입은 노동자와 와이셔츠 입은 노동자의 참여가 없었다면 승리하기 힘들었을 것입니다. 87년 노동자 대투쟁은 세상을 다시 한 번 뒤흔들었고 노동자들은 전국 단위 노동조합인 전국민주노동조합총연맹(민주노총)을 1995년에 세우는 데 성공합니다. 2015년에 민주노총과 전농(전국농민회총연맹)이 시작한 '민중총궐기', 그리고 백남기 농민의 죽음은 2016년에 탄핵 촛불이 타오르는 불씨가 되었습니다. 전태일의 죽음은 헛되지 않았습니다. 지금도 노동자들의 싸움마다 '전태일 정신'이 호출됩니다. 인간답게 살고 싶다는 외침과 함께.

◯ 2015년 민중총궐기

◯ 2016년 탄핵촛불

　끝으로 우리가 사는 시대를 되돌아봅니다. 사는 모습이 많이 달라졌지만 전태일이 살았던 시대와 여전히 비슷해 보이기도 합니다. 일하고 싶은 사람보다 인간답게 일할 수 있는 일자리가 턱없이 부족합니다. 누군가는 경제 환경의 자연스러운 변화를 이유로 들기도 하지만 지금까지의 정부 정책이 정규직 축소와 비정규직 양산을 부추겼다는 사실을 전적으로 부정하기는 어렵습니다. 수많은 노동자들이 말도 안 되는 '갑질'을 당하면서도 일자리를 잃을까봐 쩔쩔매며 살인적인 야근과 특근, 비인간적 대우를 견디고 있습니다. 지금도 여전히 누군가는 삶을 되찾기 위해 목숨을 걸고 싸우고 다른 누군가는 스스로 목숨을 끊습니다. 한겨울같이 차가웠던 시대에 따뜻한 불꽃이 된 청년 전태일의 삶을 되돌아보며 이렇게 물어보지 않을 수 없을 것 같습니다.

　전태일의 싸움은 끝났습니까? 우리는 지금, 인간답게 살고 있습니까?

더 찾아보기

・ 조영래, 『전태일 평전』
・ 인물을 말하다 전태일편

07 고려인이 누군가요?

〈명재림〉

ИККИ МАРТА
СОЦИАЛИСТИК МЕХНАТ КАХРАМОНИ
КИМ ПЕН ХВА
ДВАЖДЫ ГЕРОЙ СОЦИАЛИСТИЧЕСКОГО ТРУДА
이 중 사회주의 로력 영웅
김 병 화

✪ 타슈켄트에 있는 김병화선생 동상

과거

"나는 조선어를 잘 하지 못합니다. 내가 열 살 때 여기 끌려왔습니다."

우즈베키스탄 시온고 마을에 사는 고려인 1세대 심의완 할아버지의 첫 마디였습니다. 이후 1937년 강제 이주 당한 90세의 할아버지는 당시 기억을 이렇게 말씀하셨습니다.

"아무 것도 없이 아무 것도 없는 곳으로 갔드랬어. 보름 남짓을 갔는데 기차가 멈추고 내린 곳에 아무 것도 없었어. 어딘지도 몰랐어. 풀 밖에 없었어."

○ 우즈베키스탄 시온고 마을 고려인 심의식 할아버지

정착 생활이 어떠했는지에 대한 질문에 심의완 할아버지는 이렇게 답해주었습니다.

"37년부터 39년까지 출생자 거의 없어, 여기는 뱀이 많았고, 낳아도 애들이 금세 죽고 하니 그때 뱀이 어찌나 많았는지 기둥마다 뱀이 감고 있었어. 올 때 그래도 아버지가 쌀을 하나

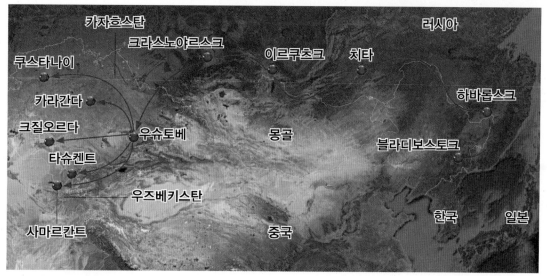

○ 고려인 강제 이주 경로

박(한 바구니) 가슴에 품고 오셨는데 그걸로 밥을 해주는 줄 알았는데 그게 아니고 다음 농사에 쓰셨어."

김병화 박물관*에서 만난 **장 엠마***할머니는 자신이 자란 마을에 대한 기억을 이렇게 말씀하셨습니다.

◐ 이주당시 고려인의 집

◐ 고려인이 땅을 측량하는 모습

"울타리도 없는 감옥이었소. 집이 없어서 움막을 짓고 살았는데 밤마다 집밖에 나와서 인원보고 같은걸 했어요. 이사도 못가고 살았어요. 그래도 농사를 짓는걸 알았으니 여기서 목화도 심고했지 아니었으면 다 죽었을 겁니다. 스탈린이 죽고 나서야 다른데 나가 살 수 있었지 그전에는 이사도 못 갔어요."

8월의 우즈베키스탄은 40도에 육박한 무더운 날씨였습니다. 기후도 다르고 자연 환경도 생소한 땅이었습니다. 이런 척박한 땅에

---

* **김병화 박물관** | 김병화는 고려인 강제이주자로 우즈베키스탄에 목화를 심어 고려인 집단농장을 번성시킨 공로를 인정받아 고려인으로 처음 훈장을 받은 인물입니다. 고려인이 재배한 목화는 품질이 우수하여 인류 최초 우주인 유리 가가린이 우주에 갈 때 우주복에도 사용되었습니다.
* **장 엠마** | 김병화 박물관을 설명해 주는 고려인 1세대입니다.

고려인들은 왜 갔을까요?

　19세기 중엽 이후부터 가난한 농민들이 삶의 터전을 찾아 국경을 넘어 연해주로, 만주로 이주했습니다. 일제강점기였던 1920년대 연해주로 이주한 고려인의 수는 약 17만 명이나 되었습니다. 고려인의 증가로 인해 소련 정부의 고민도 늘어났습니다. 결국 소련 정부는 소련의 정책을 따르지 않는다는 구실로 1926년 12월 6일 하바로브스크 북부에 거주하는 88,000명의 고려인을 중앙아시아에 강제 이주시키기로 결정합니다. 이 정책은 1930년부터 시행되었습니다. 1931년 만주사변이 일어나면서 강제 이주자는 더 늘어났습니다.

　대규모 이주는 중·일전쟁이 일어난 1937년 8월부터 시작되었습니다. '일본의 첩자가 러시아 극동 지방으로 침투하는 것을 막는다.'는 이유였습니다.

현재

　2차 대전이 끝나고 1946년이 되어서 고려인들은 각종 제한에서 풀려났습니다. 그 후 우즈베키스탄을 떠나 소련의 공업지역 및 새로운 지역으로 일을 찾아 이주를 시작했습니다. 1937년부터는 금지되었던 한국어도 사용할 수 있었습니다. 한글로 신문도 간행했습니다. 한국어 방송, 한인극장까지 만들어 정통성을 지키고자 노력하고 있습니다. **한식*** 같은 기념일에는 한복을 곱게 입습니다. 세월이 지나 3세대에 이르러 점차 한국어는 사용이 줄어들고 있지만 전통은 지키고 있습니다.

　88서울올림픽 이후 대한민국의 위상이 높아지면서 당시 소련에 거주하는 동포들에 대한 관심이 높아졌습니다. 동포들의 명칭을 어떻게 부를 것인가에 대해서도 고민하게 되었습니다. 우리나라가 동포를 부르는 말로는 재일동포, 재중동포, 한국계 등으로 많이 쓰고 있습니다. 그러나 현재 러시아에서 살고 있는 우리 동포에 대해 부르는 말은 고려인입니다.

　그 배경에는 조선인이라고 하면 남한에서 싫어하고, 한국인이라고 하면 북한에서 싫어하기 때문이라는 설이 있습니다.

> ***한식** | 고려인들의 최대 기념일은 한식입니다. 이날은 국가 지정 공유일이 아니어도 가족과 친지들이 꼭 성묘를 합니다. 학생들은 등교 전 조상의 묘를 찾아 성묘를 하고 등교를 합니다.

○ 시온고마을 회의 모습

고려인은 구소련에 살던 동포들을 부르는 공식 명칭인 것입니다.

이런 고려인들에게 문제가 발생했습니다. 우즈베키스탄을 떠나 소련 전역에 이주하여 살게 된 고려인들은 1992년 소련이 붕괴되면서 국적 취득 문제가 발생합니다.

소비에트 연방이었던 나라들이 독립을 하면서 구소련 국적을 인정하지 않아 국적을 다시 신청해야 했습니다. 소비에트 연방일 때에는 우즈베키스탄을 떠나 다른 곳으로 이주해도 소비에트 연방 국적으로 살 수 있었습니다. 그러나 소비에트 연방이 붕괴되면서 러시아가 되자 사람들은 우즈베키스탄 국적을 확보하여 다시 돌아갈 것인지 아니면 지금 살고 있는 나라의 국적을 새로 취득할 것인지 결정해야 했습니다.

문제는 이런 사실을 몰랐거나, 서류를 분실하고 거주자로 등록하지 않았거나, 경제적인 여유가 없어 새로운 국적을 신청하지 못한 고려인들이 많다는 것입니다.

이들은 무국적자가 됩니다. 무국적자들은 교육을 비롯한 기본적인 혜택을 받지 못하고 있으며 이러한 불이익은 그 자손들에게 그대로 이어지고 있는 실정입니다.

과거 소련 지역에 흩어져 살던 41만 여 고려인의 12%에 해당하는 약 5만 명이 무국적자로 독립국가연합에 흩어져 거주하고 있습니다.

미래

　해방이 되고 우리나라에 돌아와 살고 있는 고려인들*도 많이 있습니다. 우즈베키스탄으로 강제 이주된 고려인들은 아직도 우리나라에 정착하기를 희망하고 있습니다. 우리나라 정부는 재외동포 3세대까지 국내체류가 가능한 재외동포 비자(F4)를 발급하고 있습니다. 4세대는 19세까지만 한국에 체류할 수 있습니다.

　이런 재외동포법에 1세대의 기준이 어디에 있는가는 문제로 지적되고 있습니다. 국가별 적용 시기가 다릅니다. 러시아에 살고 있는 동포들은 1945년 8월 15일을 기준으로 적용합니다. 1945년 8월 15일 이전에 출생한 자는 고려인 1세대가 됩니다. 그러나 1945년 8월 16일 태어났다면 하루 차이로 2세대가 되는 것입니다.

　고려인과 달리 중국 동포는 1949년 10월 1일을 기준으로 삼고 있습니다. 중국 동포들에 비해 고려인들의 1세대 적용이 더 짧습니다. 다른 나라에 살고 있는 재외동포들에 비해 고려인들은 재외동포법에서 차별 적용을 받고 있습니다.

　강제로 이주되어 고향을 밟지 못한 고려인들은 얼마나 될까요? 일본의 수탈과 강압에서 벗어나 연해주로 이주한 고려인들은 스탈린에 의해 강제로 우즈베키스탄으로 이주되었습니다. 연해주에 살았다면 광복 이후 다시 고향으로 돌아 올 수도 있었습니다. 강제 이주 이후에도 고려인들은 대한민국을 할아버지의 나라라고 생각하고 정통성을 지키며 살고 있습니다. 먼 타국에서 조국이 성장하는 것을 보며 긍지를 갖고 살아온 고려인들이 자유롭게 대한민국을 드나들 수 있는 날을 기대해 봅니다.

*해방이 되고 우리나라에 돌아와 살고 있는 고려인들 | 안산의 뗏골마을, 광주의 고려인 마을이 대표적인 마을입니다.

더 찾아보기

・ytn 특별기획 고려인

참고문헌

Ⅰ- 01
• 이영문, 『고인돌, 역사가 되다』, 학연문화사, 2014.
• 우장문, 김영창, 『강화 고인돌 탐방』, 강화군 고인돌사랑회, 2012.
• 세계유산 시리즈 - 8편, 고인돌

Ⅰ- 02
• 한국생활사박물관 편찬위원회, 『한국생활사박물관 3(고구려 생활관)』, 사계절, 2002.
• 고구려 아차산에서 만나다

Ⅰ- 03
• 김수태, 「2세기말 3세기대 고구려의 왕실혼인」, 『한국고대사연구』38, 2005.
• 우리역사넷, 사료로 본 한국사

Ⅰ- 04
• 신종원 외, 『익산 미륵사와 백제』, 일지사, 2011.

Ⅰ- 05
• 이희진, 『의자왕을 고백하다』, 가람기획, 2011.

Ⅰ- 06
• 신라사학회, 『흥무대왕 김유신 연구』, 경인문화사, 2011.
• 박순교, 「김춘추 외교의 승부사」, 푸른역사, 2006.

Ⅰ- 07
• 유홍준, 『나의 문화유산답사기2』, 창작과비평사, 2000.
• 최준식 외, 『유네스코가 보호하는 우리 문화유산 열두 가지』, 시공사, 2004.
• 정수일, 『한국 속의 세계 (하)』, 창비, 2006.
• 한국문화유산답사회, 『답사여행의 길잡이2(경주)』, 돌베개, 2000.
• 한국생활사박물관 편찬위원회, 『한국생활사박물관05 - 신라생활관』, 2002.
• 최완수, 『한국불상의 원류를 찾아서3』, 대원사, 2007.
• 김봉렬, 『김봉렬의 한국건축 이야기1』, 돌베개, 2007.

Ⅰ- 08
• 이종호, 「현대 과학으로 다시 보는 한국의 유산 21가지」, 새로운 사람들, 1999.

Ⅰ- 09
• 강은해, 「한국 귀화 베트남 왕자의 역사와 전설-고려 옹진현

의 이용상 왕자」, 『동북아문화연구』 제26집, 동북아시아문화학회, 2008.
• 박경하, 「귀화인 김충선의 생애와 역사문화콘텐츠로의 재현사례」, 『다문화콘텐츠연구』 제19집, 2015.
• 이찬욱, 「한국의 귀화성씨와 다문화」, 『다문화콘텐츠연구』 제17집, 2014.
• 전덕재, 「한국 고대사회 외래인의 존재양태와 사회적 역할」, 『동양학』 제68집, 단국대학교 동양학연구원, 2017.
• 조흥국, 「12-14세기 베트남 사람들의 한국 이주에 대한 재고찰」, 『석당논총』 55집, 석당학술원, 2013.

Ⅱ- 01
• 노명호, 「고려 태조 왕건의 동상」, 지식산업사, 2012
• 최완수, 「한국불상의 원류를 찾아서1」, 대원사, 2002

Ⅱ- 04
• 국사편찬위원회 : http://www.history.go.kr/

Ⅱ- 05
• 이명미, 「고려·원 왕실통혼의 정치적 의미」, 『한국사론』 제49호, 서울대학교, 2003.
• 이용주, 「공민왕대의 자제위 변천사 연구」, 『교육논총』 제4집, 동국대학교, 1984.
• 이형우, 「노국대장공주와 공민왕의 정치」, 『한국인물사연구』 제12호, 한국인물사연구소, 2009.

Ⅱ- 06
• 박은봉, 「한국사상식바로잡기」, 책과함께, 2007

Ⅲ- 01
• 조선왕조실록 : http://sillok.history.go.kr

Ⅲ- 02
• 조선왕조실록 : http://sillok.history.go.kr

Ⅲ- 03
• 조선왕조실록 : http://sillok.history.go.kr

Ⅲ- 04
• 조선왕조실록 : http://sillok.history.go.kr

Ⅲ- 05
• 국사편찬위원회, 『신편 한국사』
• 박희봉, 「교과서가 말하지 않은 임진왜란 이야기」, 논형,

2014.
- 한국사특강편찬위원회, 『한국사특강』, 서울대학교 출판부, 2008.
- 한명기 외, 『쟁점 한국사: 전근대편』, 창비, 2017.
- 한국사 데이터베이스(http://db.history.go.kr/), 국사편찬위원회

Ⅲ - 06
- 한국고전문학전집, 한중록, 문학동네, 2010.

Ⅲ - 07
- 이난영, 「조선 후기 경기도 광주의 수령 선정비 분석」, 충북대 대학원 석사학위 논문, 2011.
- 이성임, 「조선 후기 수령의 현창의식과 선정비-인천지역의 사례」, 『인천문화연구』 창간호, 인천광역시박물관, 2003.
- 이채경, 「조선시대 수령 선정비의 역사상 의미」, 『돌에 새긴 백성의 마음』, 경주학연구원, 2010.
- 임용한, 「조선 후기 수령 선정비의 분석-안성, 죽산, 과천의 사례를 중심으로-」, 『한국사학보』 제26호, 고려사학회, 2007.

Ⅲ - 08
- 국사편찬위원회, 『신편 한국사』
- 이상찬, 「파리 소재 외규장각 도서 반환 협상의 문제점」, 서울대학교 『법학』 제44권 3호, 2003.
- 정상천, 「파리 국립도서관 소장 외규장각 도서반환 협상경과, 쟁점 및 평가」, 한국프랑스사학회 『프랑스연구』, 2007.
- 정상천, 「프랑스 소재 외규장각 도서반환 협상 과정 및 평가」, 『한국정치외교사논총』 33, 2011.

Ⅳ - 01
- 김구, 『백범일지』, 돌베개, 2009.
- 이은숙, 『서간도 시종기』, 일조각, 2017.
- 정정화, 『장강일기』, 학민사, 1998.
- 허은, 『아직도 내 귀엔 서간도 바람소리가』, 민족문제연구소, 2017.

Ⅳ - 02
- 국사편찬위원회, 『신편 한국사』
- 조한성, 『군함도, 끝나지 않은 전쟁』, 생각정원, 2017.

Ⅳ - 03
- 배경한, 「카이로회담과 한중관계-'國際共管論'에 대한 충칭 임시정부와 중국국민정부의 대응-」, 『한국민족운동사연구』

제85집, 2015 .
- 김광재, 「윤봉길의 상해의거와 중국측 역할」, 『한국민족운동사연구』 제33집, 2002.

Ⅳ - 04
- 교육부, 『고등학교 교육과정 해설 1-16』, 교육부, 2000.
- 이임하, 『10대와 통하는 문화로 읽는 한국 현대사』, 철수와 영희, 2014.
- 이기환, "무즙파 vs 창칼파, '엿먹인' 중학입시", 경향신문, 2013년 11월 22일.

Ⅳ - 05
- 서울대학교 대학신문, 「역사학의 시선으로 건국절의 속내를 파헤치다」, 20160911.
- 오마이뉴스, 「건국절 주장이 얼토당토않은 이유 4가지」, 20160818.
- 허핑턴포스트코리아, 「건국절 논란에 대한 또다른 접근」, 20160825.

Ⅳ - 06
- 조영래, 『전태일 평전』, 돌베개, 2001.
- 이원보, 『한국노동운동사 100년의 기록』, 한국노동사회연구소, 2013.
- 서중석, 『사진과 그림으로 보는 한국 현대사』, 웅진지식하우스, 2005.

사진 제공
- 장득진 : 11, 12, 13, 15, 16, 17, 19, 23, 24, 25, 26(상), 28, 37, 38, 39, 42, 43, 44, 46, 47, 48, 49, 50, 51, 52, 53, 56, 63, 64, 65, 68, 73, 75, 76(하), 78, 79, 81, 86, 93, 95, 99, 100, 101, 105, 110, 111, 112, 113, 114, 117, 118, 119, 125, 126, 127, 132, 133, 134, 136, 138, 142, 147, 150, 152, 155, 156(하), 158, 159, 160, 162, 163, 164, 166, 167, 176(상), 177, 180, 181, 190, 191, 192, 194, 195, 197, 199(상), 202, 210
- 이융(부산 역사교사) : 180

물음표 한국사 – 선생님 질문 있어요

초판 1쇄 인쇄 | 2018년 4월 3일
초판 1쇄 발행 | 2018년 4월 6일

지 은 이 | 명재림(경기 안양 근명중학교), 김선우(경기 부천 부천북고등학교), 윤관집(경기 수원 권선고등학교),
　　　　　 장재윤(경기 시흥 자동차과학고등학교), 신지영(충북 청주 흥덕고등학교)
검토 및 사진 | 장득진(국사편찬위원회)
발 행 인 | 황순신
펴 낸 곳 | (주)지엔피에듀

등록번호 | 2016년 6월 8일 제2016-000166호

주　　　소 | (03992) 서울특별시 마포구 월드컵북로6길 12-9(동교동 203-35)
구입문의 | 02-6203-1532
팩　　　스 | 02-6203-1533

(주)지엔피에듀에서 발간한 책은 전국 대형서점에서 구입할 수 있습니다.
편집 · 디자인 | (주)지엔피링크
기　　　획 | 한국역사문화교육연구회
제　　　작 | (주)지엔피링크
가　　　격 | 18,000원

ISBN 979-11-960939-7-6 43910